Vivir low cost

Vivir low cost

Casi todo está a su alcance si aprende a buscarlo

ARANCHA BUSTILLO y MARTA JUSTE

conecta

Primera edición: noviembre de 2011

Printed in Spain – Impreso en España

ISBN: 978-84-939145-3-0
Depósito legal: B. 33.985-2011

Compuesto en IT's Gràfiques, S. C. P.
Impreso en Novagrafik
Polígono Industrial Foinvasa
Calle Vivaldi, 5
08110 Montcada i Reixac (Barcelona)
Encuadernado en Reinbook

CN 14530

Para todos a los que alguna vez os han llamado ratas por querer gestionar bien vuestro dinero, para los que se enorgullecen de ser de la cofradía del puño cuando es necesario y, por supuesto, para toda nuestra gente que nos ha aguantado durante estos meses de preparación del libro, sean unos ratillas o no.

Índice

PRIMERA PARTE

Capítulo 1

Una filosofía de vida

¿De verdad tiene claro qué significa low cost? Seguro que ha viajado alguna vez con una compañía de bajo coste o ha comprado algún artículo rebajado más de un 50 %. Pero ¿se ha parado a pensar en el poder que usted tiene sobre esos precios...? ¿No? Pues quizá debería hacerlo. Esta fórmula de consumo ha originado una nueva filosofía de vida, la nuestra y, quizá, también la suya.

Nosotras nos presentamos ante todo como consumidoras low cost. Volamos en aerolíneas de bajo coste, nos gustan las marcas blancas y conseguir entradas de teatro con descuento. Pero el mero hecho de comprar en establecimientos o páginas web más baratos no nos convierte en buenas compradoras. Lo que realmente nos hace partícipes de lo que hemos denominado «vida low cost» es ser consumidoras inteligentes: compramos lo que nos gusta a buenos precios.

Este libro surge de nuestra propia experiencia. Somos periodistas económicas, y hace un tiempo comenzamos un blog dirigido a todo aquel que quisiera ahorrar de forma eficiente. No se trata de buscar siempre los productos más baratos, sino de aprender a comprar bien. Lejos de ser una continuación o una recopilación del blog, queremos compartir con usted lo que hemos aprendido en estos años en los que nos hemos movido por un universo de promociones y ofertas para llegar a la conclusión de que, en el fondo, los consumidores somos los protagonistas principales de esta historia.

Seguro que usted se ha hecho una idea del poder que tiene como cliente en el momento en el que ha pretendido cambiarse de compañía telefónica. Nosotras sí que hemos experimentado esa sensación cuando, tras once años «atadas» a una operadora móvil, quisimos cambiarnos a otra. Nuestra compañía de toda la vida apenas recompensaba nuestra lealtad y, además, era de las más caras del mercado. Por eso decidimos probar una oferta low cost. Nada más aceptar el cambio a la nueva compañía, la anterior, la que nunca se había preocupado de tenernos contentas ni de gratificar nuestra fidelidad, se puso las pilas. Al conocer la portabilidad a otra operadora, nos llamó para ofrecernos una tarifa mucho más ajustada a nuestro consumo, un teléfono de última generación y descuentos adicionales en servicios tales como la mensajería. ¿Había estado engañándonos hasta ese momento? No. Simplemente nos había tratado como un número más y ahora reaccionaba por miedo a perder un cliente. Nuestra iniciativa para buscar ofertas más rentables y las contraofertas que recibimos por parte de nuestra compañía telefónica de toda la vida nos hizo sentir realmente poderosas. Habíamos conseguido no solo encontrar una operadora más económica, sino también movilizar a la nuestra. Este es el verdadero poder del consumidor inteligente.

Antes de arrancar, tiene que quedar claro que durante las siguientes páginas no vamos a decirle dónde comprar más barato; confiamos en su criterio. Vamos a intentar ir un poco más allá y desgranar esta tendencia que se ha convertido para muchos en un modo de vida. Para ello partimos de una premisa fundamental: el low cost es un estilo de consumo dirigido a un consumidor discriminatorio, que sabe lo que quiere y, lo más importante, cuánto está dispuesto a pagar por ello.

Es un momento crucial para que se detenga a reflexionar sobre su poder como comprador. Pero antes de nada, dejemos los conceptos claros.

¿BAJO COSTE O BAJO PRECIO?

Siete días con un 20 % de descuento en El Corte Inglés, por muy Semana Fantástica que sea, no es una oferta low cost. El término se ha desvirtuado hasta designar cualquier compra barata.

¿Quiere saber cuál es realmente una buena estrategia empresarial de bajo coste?

Supongamos que un emprendedor decide iniciar un negocio low cost, concretamente un hotel. Antes de comenzar, debe saber que si pretende ofrecer habitaciones a un precio más bajo, habrá de prescindir de algunos servicios que se convertirán en «extras». Para ello, tendrá que cuestionarse qué es lo que quiere el turista cuando se aloje en su hotel. Y la respuesta es obvia: dormir a gusto.

Llegado a este punto, el emprendedor se planteará las formas de ahorrarse costes sin perjudicar lo que realmente busca su cliente, que es un alojamiento confortable. Veamos los pasos que debe dar el dueño de ese establecimiento:

1. **Eliminar todo lo prescindible.** Para ello puede plantearse ofrecer habitaciones de categoría única. De este modo, podrá decorarlas todas de la misma forma y comprar para todas el mismo tipo de cama, recurriendo a los mismos proveedores. En su hotel tampoco habrá jacuzzi ni gimnasio. Lo único que está vendiendo es un lugar para dormir.
2. **Invertir en tecnología.** Habrá de informatizar todo lo posible el hotel, pues aunque suponga una inversión inicial importante, el ahorro final será mayor.

3. Eliminar intermediarios. Una de las máximas del low cost es el «háztelo tú mismo». ¿Por qué pagar un porcentaje de las reservas a una agencia de viajes si puede crear un sistema de reservas por internet para que el cliente gestione su habitación?

4. Trasladarse a la red. Para hacer efectivo el paso anterior, es importante que la inversión en tecnología cuente con internet como pilar básico. Cualquier compañía de bajo coste debe tener en cuenta que ahorrará una importante suma de dinero trasladando parte de su negocio a la red.

5. Establecer «extras». Que el hotel no ofrezca servicio de desayuno, toallas en las habitaciones o minibar permitirá al dueño ofrecer estos servicios como extras. El cliente que lo desee podrá contratarlos, pero pagando un coste adicional por ello.

Una vez calculado el recorte de gastos, el hotelero podrá fijar el precio de sus habitaciones muy por debajo de lo que costarían en un hotel tradicional. En ese negocio se ofrecerá un servicio básico, desnudo, un verdadero negocio low cost.

La diferencia entre este ejemplo y el de El Corte Inglés estriba en que en el caso del hotel el empresario ha tenido que reorganizar todo su negocio para conseguir un producto final más barato. Si se fija, en la Semana Fantástica simplemente se reduce el precio de un artículo que está a punto de ser retirado por el cambio de temporada y que ha perdido valor para la marca.

A lo largo del libro abarcaremos las dos consideraciones del término, hablaremos de precios bajos y de costes bajos, pues como consumidores lo que realmente nos importa es lo que cuesta el producto y, sobre todo, por qué tiene ese precio, ya sea una rebaja o un low cost original.

UNA FILOSOFÍA MÁS ALLÁ DE LA CRISIS

Con su permiso, antes de entrar en materia queremos demostrar que la dura crisis económica que afecta a la sociedad actual no ha sido el origen de este nuevo modelo de consumo. Habrá podido impulsar su crecimiento, pero de ninguna manera ha sido el catalizador de lo que llamamos low cost. Para que no quepa duda, nos detendremos un momento en el inicio de esta forma de consumo y analizaremos algunas cifras que son imprescindibles para conocer la evolución del bajo coste en nuestra sociedad actual.

Habrá quien se sorprenda al saber que la famosa expresión existe desde hace cuatro décadas, concretamente desde 1971. En ese año, la compañía estadounidense Air Southwest puso la primera piedra de un nuevo modelo de negocio que cambiaría para siempre el sector aeroespacial. La aerolínea modificó su estrategia. Cambió su nombre por el de Southwest Airlines y decidió reducir sus rutas a dos: de Dallas a Houston y San Antonio. Eran trayectos cortos dirigidos a la clase media norteamericana, con una flota de solo tres aviones del mismo modelo —Boeing 737—, lo que facilitó ajustar su tripulación y la formación de la misma. Estos recortes permitieron a la compañía reducir sus tarifas y la convirtieron en una de las más populares del sector. La aerolínea estadounidense es ahora la sexta firma aeroespacial de su país.

El éxito de las compañías de bajo coste (emplearemos el término CBC de aquí en adelante) traspasó fronteras y aterrizó en Europa, pero España no contaría con una propia hasta el nacimiento de Clickair en 2006. Para entonces, firmas como Ryanair o EasyJet ya llevaban algunos años dando guerra a las compañías españolas de bandera que veían descender su número de pasajeros mientras que las recién llegadas low cost no dejaban de aumentarlos.

En 2003 una de nosotras se embarcaba por primera vez en una aerolínea de bajo coste. Se trataba de un vuelo diferente, y no solo por el precio del billete. Hasta el momento, volar había sido algo excepcional, reservado para las vacaciones de verano y con destinos lejanos, donde no se podía llegar fácilmente con otros medios de transporte. Pero desde ese primer vuelo nuestro concepto de viajar en avión cambió. Y algo parecido estaba ocurriendo en Europa.

Las cifras no mienten. En 2003 el primer estudio anual sobre compañías de bajo coste del Instituto Español de Turismo (IET) ya informaba del fuerte aumento tanto en número de pasajeros transportados como en vuelos de las CBC, amén de la cada vez más frecuente aparición de nuevas empresas, y de fusiones y adquisiciones en el sector. Las grandes como Iberia tenían motivos de sobra para tener miedo.

Según datos de Aena, en ese mismo año las low cost estaban aumentando el total de pasajeros en España a un ritmo del 34,1 % frente al año anterior. Su presencia comenzaba a imponerse en los aeropuertos españoles. No en vano, de los 2,8 millones de turistas que llegaron a España en 2003, el 95 % fueron trasladados por CBC.

Lo único necesario para volar en una de esas compañías era tener claro que la rebaja de precio se reflejaría en una reducción de los servicios. Por primera vez decíamos adiós a poder tomar un refresco a bordo, un tentempié o unos cacahuetes. Volábamos en el mes de febrero para encontrar mejores tarifas y llegábamos a un aeropuerto secundario. Pero el precio merecía la pena.

Durante esos primeros años de consolidación de las low cost, poca gente dejaba en manos de esas compañías, que vendían tan barato y que tantas quejas acumulaban, sus vacaciones estivales. Pero en 2007 la cosa cambió. Por primera vez, las CBC presentaron una mayor estabilidad en los meses de verano que las tradicionales, ya que concentraron entre junio y septiembre un 34 % de los pasajeros frente al 33 % de las segundas. La filosofía low cost comenzaba a implantarse entre los consumidores, que ya no solo confiaban sus vuelos de fin de semana o de negocios a las aerolíneas de bajo coste, sino también sus apreciadas vacaciones de verano.

¿Por qué pagar más por más servicios si lo que realmente quiero es trasladarme de un punto a otro? Surgía así un nuevo tipo de turista y, a su vez, un nuevo consumidor dispuesto a pagar el precio justo.

Vistas estas cifras, es evidente el cambio de la sociedad española con respecto a las compañías low cost. Comenzábamos a desechar la idea de que lo barato salía caro y empezábamos a confiar en servicios básicos a precios más ajustados.

Durante este viaje, intentaremos, de entrada, despejar todas las dudas sobre este maravilloso mundo de precios y costes bajos. Queremos dejar claro que todo lo aquí expuesto surge de lo que hemos visto, oído y por supuesto probado durante estos años como consumidoras low cost. A partir de nuestra experiencia, revisaremos las diferentes compañías de bajo coste con las que nos hemos ido topando, tanto las verdaderas low cost como las que simplemente han aprovechado el tirón y se han subido al carro. Le sorprenderá descubrir que esta filosofía de vida está por todas partes, incluso en los sectores de más lujo.

Pero lo que de verdad nos ha intrigado a nosotras durante estos años (y creemos que es lo que más interesa a nuestro lector) es saber cómo es posible que compañías como Ryanair, por ejemplo, puedan vender billetes a un euro. No se impaciente; prometemos enseñarle los verdaderos entresijos del low cost.

De manera que póngase cómodo, abra la mente y prepárese para iniciar un recorrido por todos esos descuentos y ofertas, estrategias y ardides, con el objetivo de cerrar la última página del libro y poder decir: «Ahora sí que no soy tonto».

Capítulo 2

Low cost por todas partes

Mucha gente atribuye a Lidl una estrategia low cost. A la mayoría de los consumidores le parece que Ikea es un establecimiento de bajo coste. Y hasta El Corte Inglés se ha unido a esta tendencia con el lanzamiento de su marca de distribuidor «Aliada» y su propio club de venta privada, Primeriti.

Desde empresas tradicionales que han visto en la estrategia del bajo coste una buena forma de activar su negocio, hasta nuevas compañías que surgen inicialmente con este calificativo: todos quieren ser low cost. Pero ¿por qué? Y, lo más importante, ¿lo son realmente?

Vamos a dar un repaso a algunos de los sectores más representativos en los que la estrategia low cost ha conseguido implantarse perfectamente entre los consumidores, pese a que hace algunos años fuéramos reacios a confiar en esos productos. Desde ir de vacaciones por menos dinero hasta pagar la mitad en la factura telefónica, si se fija, el low cost está por todas partes.

1. Turismo para todos los bolsillos

Las vacaciones son sagradas. Con crisis o sin ella, poder disfrutar de unos días al margen de la rutina es un caramelo que a todos endulza.

El hecho de poder volar por 50 euros ida y vuelta ha fomentado el turismo de bajo coste. No solo queremos un vuelo barato, sino que también exigimos un alojamiento económico y deseamos gastar poco en nuestro destino: unas verdaderas vacaciones low cost.

Volando voy

Si la expresión low cost es conocida, lo es en buena medida por las aerolíneas como Ryanair, EasyJet o Vueling. Quizá le sorprenda que por 12 euros un avión pueda despegar y llevarle a su destino sano y salvo. Pero sí, ya sea por 12 o por 120 euros, usted podrá viajar, aunque no siempre de la misma forma. Sin prensa, sin casi equipaje, llevando todo bien gestionado desde casa y con un asiento un poco más pegado al de su acompañante, su vuelo le resultará más económico.

El número de aerolíneas de bajo coste se ha multiplicado año tras año desde que Southwest abriera la veda del ahorro en los vuelos. La norteamericana sigue operativa tras más de cuarenta años, si bien ahora cuenta con duros competidores en los cielos estadounidenses. Spirit Airlines, Jet Blue, Virgin o USA3000 son tan solo algunos ejemplos. Pero el mapa mundial de aerolíneas low cost se amplía hasta Asia pasando por Europa. En el Viejo Continente desde la conocida Ryanair, nacida en 1985, hasta la actualidad han sido muchas las compañías que han aplicado el modelo. Germanwins, Wizz Air, Transavia, Vueling, Jet2... así hasta más de treinta empresas que cubren de norte a sur toda Europa. No obstante, la que se lleva la palma es Asia. India, Indonesia, Corea, Japón, China, Malasia, Singapur, Tailandia y Filipinas, todas ellas tienen más de una aerolínea low cost con rutas nacionales, internacionales e incluso intercontinentales.

La fuerza con la que han aparecido estas aerolíneas en nuestros planes de viaje ha hecho despertar al resto del sector de transportes, que también quiere ser low cost. Comprar sus billetes de autocar y de tren con antelación o por internet tiene recompensa. Lo mismo sucede con otros servicios como el alquiler de vehículos. Compañías como Pepecar o EasyCar ofrecen coches con tarifas más reducidas que la competencia, siempre a cambio de una serie de limitaciones, como el kilometraje o la oferta en la gama de vehículos.

Las opciones de transporte low cost vuelven a tener a internet como un gran aliado en nuestra búsqueda. Además, la aparición de los prácticos comparadores de precios puede facilitar al consumidor o al cliente la tarea a la hora de encontrar las mejores ofertas en billetes de tren, de avión o de autocar, a fin de que el comienzo de sus vacaciones sea agradable también para su economía. Lo mismo ocurre con los metabuscadores. En páginas web como Mirayvuela.com, Traveljungle o Kayak, el usuario solo debe introducir el lugar donde desea viajar, las fechas y el número de personas. Al momento, el buscador hará un rastreo por la red para mostrar las mejores ofertas. Así de fácil.

Hoteles ganga

El éxito de las aerolíneas low cost ha supuesto una revolución en el sector turístico en general. Hay clientes que prefieren ahorrar en el vuelo y pagarse un buen hotel, pero hay otros que optan por un viaje totalmente low cost y tampoco se gastarán demasiado en el alojamiento.

Nosotras, que pertenecemos al segundo grupo, hemos descubierto que los tipos de alojamiento low cost o simplemente baratos, son muchos y algunos muy originales. Desde ser acogido por alguien que ofrece su casa de forma gratuita, hasta dormir en un hotel de lujo con descuentos que llegan al 50 %. Pero ante tanta oferta, una recomendación: analice qué es lo que busca.

El sector hotelero ha conseguido reducir sus precios para no perder clientes. Si un turista decide planear un viaje porque le sale muy barato el vuelo, seguramente tampoco querrá gastarse mucho dinero en el alojamiento. Ante este escenario, el sector ha tenido que reorganizarse. Algunos hoteles han llegado a acuerdos con clubes de venta privada de viajes o con webs de ofertas para ofrecer descuentos muy sugerentes durante un tiempo limitado. En estas páginas es posible hallar promociones de hasta el 70 %.

Como vimos en el primer capítulo, otros han replanteado su negocio por completo ofreciendo alojamiento low cost durante todo el año. En este caso tenga en cuenta que dormirá en una habitación sin más lujos que una cama confortable, pues incluso las toallas de la ducha puede que deban pagarse aparte. El precio será muy reducido, pero es recomendable que se informe bien antes de hacer clic y comprar si lo que buscaba eran las prestaciones de un hotel tradicional.

Si introduce en Google «habitación barata» y la ciudad de destino, cientos y cientos de webs aparecerán con el objetivo de mostrarle la oferta más económica. Sea como sea, el sector turístico ha conseguido que, con más o menos efectivo, no nos quedemos sin nuestras ansiadas vacaciones.

La panza llena a buen precio

Si algo nos gusta en España es comer bien. Bueno, beber tampoco se nos da mal. Y si es fuera de casa, mucho mejor. Presumir del restaurante del que se disfrutó el fin de semana pasado, gusta a cualquiera. Pero además, si después de un buen manjar la cuenta resultó menor de lo que esperaba, la alegría es doble y la digestión mucho menos pesada.

En un momento en el que todos los negocios quieren ser de bajo coste, el sector de la restauración no podía ser menos. Seguro que, aunque no se haya dado cuenta, frecuenta algún bar por su zona que lleva a cabo una estrategia low cost. Nosotras sí lo frecuentamos, aunque hasta que no empezamos a escribir este libro ni nos habíamos fijado. Hay en pleno centro de Madrid un pequeño bar, La Villa del Pescaíto, que ofrece precios realmente económicos. Una fritura de pescado por menos de 6 euros, o una cerveza con tapa por 1,20 euros y ¡al lado de la plaza Mayor!

Por qué ese establecimiento puede permitirse el lujo de ofrecer precios tan económicos tiene una sencilla explicación. Se trata de un bar muy pequeño y sin mesas, solo tiene barra. El menú es poco variado; básicamente, está especializado en pescadito frito y en bocatas. Además, no dispone de más empleados que el propio dueño y su mujer, y el hijo de ambos que acude los fines de semana a echarles una mano. Abre a las 12.30, por lo que no ofrece desayunos. Sin camareros a los que pagar, mesas que atender, menú diario que ofrecer o desayunos que elaborar, el bar en raras ocasiones está vacío. La gente que acude se ve atraída por unos precios bajos que se consiguen gracias a prescindir de algunos servicios. Está claro que cuando queremos comer de menú o un buen desayuno tenemos que ir a otro sitio, pero si buscamos una cerveza bien tirada y una ración de calamares en el centro de la ciudad, los precios de este bar son muy atractivos.

Además, fíjese bien en la estrategia del dueño. Tras comprobar que varios días frecuentamos su establecimiento, decidió dejarnos las cañas a un euro. De esta forma, acabó de convencernos de que el suyo era un buen lugar de encuentro, tanto por el precio como por el trato. «Les invitamos a la última» o «esta ronda corre de cuenta de la casa» son de las mejores fórmulas de marketing que existen porque, como se ha escrito, si algo nos gusta en España es comer y beber bien... y a buen precio.

En el sector de la hostelería también han surgido negocios con el apellido low cost. Haciendo uso del «prepáreselo usted mismo» o eliminando por completo el servicio en las mesas, nos encontramos con buenos ejemplos como FresCo, Salad&Co o Cien Montaditos. En los dos primeros, el cliente cogerá un bol y hará su ensalada. En el segundo, solo podrá optar a pequeños bocadillos como menú principal, tras anotar su pedido en una hoja y aguardar unos minutos antes de recogerlo en la barra. Que no le extrañe si dentro de poco aparecen buenas ofertas en restaurantes donde usted mismo habrá de entrar en la cocina para freírse el bistec con patatas que deseaba degustar.

A medio camino se encuentran algunos restaurantes que han optado por ofrecer promociones con fecha de caducidad o condiciones específicas. Vales descuento, «niños comen gratis», «invitamos a su acompañante» o el famoso «coma todo lo que quiera por el mismo precio». Internet, como no podía ser de otro modo, también desempeña un importante papel en este caso y cada vez es más habitual buscar por la red páginas especializadas en ofrecer descuentos exclusivos y ofertas limitadas para comer en restaurantes de cierto nivel por la mitad de precio.

Con promociones especiales, 2x1 o reorganizando el negocio para ahorrar costes, está claro que el sector de la restauración también forma parte de esta filosofía de consumo que, evidentemente, no surge de la crisis, aunque se haya visto impulsada por ella... ¿O acaso puede afirmar que el «a esta ronda invita la casa» es algo nuevo?

2. De compras por la red

¡Un clic y listo! La comodidad de hacer compras sentado en el sofá de su casa o desde la oficina, e incluso utilizando el móvil, ha hecho de internet la tienda global con el mayor número de clientes del mundo. Es difícil encontrar algo que no se venda en la red, ya sea aquí o en la Cochinchina. Si de algo puede presumir internet es de la posibilidad de comprar en casi cualquier rincón del planeta.

Muchas compañías han visto en la red su trampolín principal para dar el salto a un modelo de negocio low cost. Por una parte, debido a la gran cantidad de usuarios a los que pueden acceder, y por otra, por los costes que pueden ahorrarse vendiendo directamente en el entorno online.

Montar un negocio sin sede física puede ser el primer paso para tener una empresa low cost. Los ejemplos son innumerables. Desde los nuevos bancos electrónicos hasta tiendas de comida, ropa o cualquier servicio que se le pueda ocurrir. Le invitamos a dar un repaso con nosotras a los principales sectores donde el low cost en internet ya forma parte de nuestro día a día, aunque a veces no seamos conscientes de ello.

Marcas a precios muy low

Seguro que ha oído hablar de los clubes de venta privada. Se trata de páginas web como Vente-Privée, BuyVip o Privalia, donde es posible comprar artículos de firmas con descuentos de hasta el 70 %.

Su funcionamiento es sencillo. Con unos días de antelación la web avisa a sus socios del día y la hora de la «apertura de puertas» de determinada marca en su tienda online. «Levi's, en Privalia desde el 7 (7.00 horas) hasta el 9 de agosto.» Los que quieran hacerse con alguna de las prendas de la oferta ya pueden madrugar, pues es una venta limitada tanto en tiempo como en cantidad de artículos.

Estas páginas, que venden incluso coches y pisos con descuento, han conseguido acercar al consumidor de clase media productos de marca que difícilmente podrían adquirir sin ninguna rebaja.

Pero es evidente que todo tiene su truco, y ni la marca ni la web pierden un solo euro por esas ventas, aunque veremos su estrategia un poco más adelante.

De momento, quédese con algunas cifras curiosas. En una de las tiendas online con más suscriptores, Vente-Privée, la facturación por una sola venta ha llegado a alcanzar los 10 millones de euros. En otra ocasión la atractiva oferta captó a un millón de personas en una promoción que solo duraba cuarenta y ocho horas. Además, el lujo también triunfa. Ya sean coches, pisos o joyas, los socios de esa web han llegado a pagar más de 200.000 euros en sus compras, con casi el mismo éxito que cuando se trata de una camiseta de Dolce & Gabbana por 10 euros.

LA MODA DEL CUPONING

Otro de los negocios que más está triunfando actualmente en internet es el de las webs de cupones como Groupon, Groupalia, LetsBonus... La lista se amplía por momentos, puesto que cada vez somos más los que realizamos compras en este tipo de páginas. Y es que poder ir al cine por un euro, permitirse una cena para dos a mitad de precio o un masaje relajante por 8 euros no es fácil rechazar.

Por si no le suena, le explicamos en qué consiste. Tras suscribirse a una o a varias de estas páginas (nos consta que poca gente se registra en solo una), un correo, prácticamente diario, le avisará de los «maravillosos descuentos de hoy». Esas tentaciones generan una extraña sensación en el consumidor que cree que no puede dejar pasar semejante oportunidad, que está frente a una verdadera ganga. Y quizá lo sea, pero antes de clicar «comprar» piense si realmente necesita esa sesión de masaje de pies por 5 euros o esa otra terapia de relajación por 15. Si es así, adelante, no pierda el tiempo, que la oferta se agota. Si lo que le impulsa a comprar es que el artículo le parece «barato», tenga cuidado, que las rebajas en las tiendas tradicionales solo son en enero y en julio pero en internet son todos los días.

Recibir en el correo electrónico a diario unos diez planes con descuentos de más del 50 % puede resultar muy peligroso para todo aquel que sea un tanto manirroto, pues puede caer en el «comprar por comprar».

Todo lo que se esconde tras estas webs también lo desvelaremos un poco más adelante. No se preocupe ni se impaciente: ya le aseguramos en el primer capítulo que acabará el libro conociendo todos los entresijos del low cost.

Aldea global

Que en Estados Unidos está más barato ese pantalón que tanto le gusta, cómprelo. Si en China se venden bolsos de Prada a mitad de precio, a qué espera. Y si en Alemania el Audi que busca está mucho más barato, encárguelo. Y lo mejor, sin moverse de casa.

Ir de compras por las tiendas de todo el mundo es casi más sencillo que bajar al supermercado, o por lo menos más cómodo. Comercios que solo tienen sede física en un lugar concreto del mundo han conseguido abrir sus puertas a un mercado global gracias a sus tiendas de internet.

En nuestro paseo por el gran centro comercial que es la red, nos topamos con China, un increíble bazar de gangas por doquier. Falsificaciones, productos tecnológicos con precios irrisorios o compras al por mayor verdaderamente rentables han convertido a China en un supermercado low cost. Muchos consumidores han sabido hacer buen uso de este gigantesco comercio donde la tecnología y la moda de marca son el principal atractivo. Hacerse con todo tipo de gadgets, videojuegos, videoconsolas e incluso vestidos de novia en una misma web y con garantía de doce meses es la tónica general de muchas de estas páginas, como Dealextreme.com. Pero los internautas también se han dado cuenta del resto de posibilidades que ofrece este mercadillo de productos.

Hace unos meses nos hablaron de un negocio que se basaba en comprar fuera de España a través de internet para luego venderlo aquí a un precio más barato. El empresario adquiría en China cientos de camisetas de la selección española de fútbol (suponemos que no oficiales) por muy poco dinero y reducía el coste del transporte para trasladar las prendas a España. Y aunque las vendía muy baratas, conseguía sacar beneficio.

Las opciones de compra por internet son proporcionales a las horas que usted dedique a navegar por la red. Subastas, trueques, ventas de productos de segunda mano, descuentos a un solo clic de ratón... todo es susceptible de ponerse a la venta y, por supuesto, todo puede adquirirse.

Confiamos en usted como consumidor, ya lo sabe, pero tenga en cuenta que los riesgos de la red no son pocos, así que, por favor, antes de efectuar una compra por internet compruebe que se trata de una web fiable y que su producto ofrece ciertas garantías, y verifique que al introducir sus datos bancarios se encuentre en una página segura, pues no queremos que su compra «ganga» le acarree un disgusto.

3. Rebajas en el carrito de la compra

Seamos realistas, ¿cuántos analizamos el precio de cada producto que introducimos en el carro de la compra? Seguramente pocos sepan lo que costaba la semana anterior ese bote de tomate que hoy está rebajado, o esas galletas que ahora se ofertan 2x1. Al pasar por caja, y ver lo lleno que está el carrito y lo que hemos pagado, es cuando realmente nos damos cuenta de si hemos hecho o no una buena compra. Por lo general, la gente sabe cuánto le cuesta llenar la cesta, pero no repara en el valor de cada producto.

No hay que ser muy observador para darse cuenta de que cada vez hay más artículos de «marca blanca», perdón, de marca de distribuidor. Aunque casi todos hablamos de comprar marcas blancas, de nuevo cometemos un error en el uso de los términos. Las marcas blancas son aquellas en las que aparece el nombre del producto sin mencionar el del fabricante: leche, tomate, detergente... Pero si se fija bien, por lo general encontrará en casi todo lo que compra el nombre del distribuidor: leche Hacendado, tomate Aliada, detergente Dia... ¿Comprende cuál es la diferencia?

Aclarados los conceptos, es interesante comprobar como poco a poco el consumidor ha ido depositando más confianza en estas marcas a las que, no hace tanto tiempo, no daba la más mínima oportunidad.

El gran ejemplo es Mercadona, que con su apuesta por su propia marca, Hacendado, ha conseguido convertirse en uno de los supermercados de referencia para el consumidor español al unir el concepto de calidad al de bajo precio. O si no fíjese en un detalle: comprar una crema de manos de marca blanca o incluso de otra marca de segunda no es algo de lo que el consumidor medio presuma, pues el afán por las firmas es algo muy arraigado en la sociedad española. Pero la cosa cambia si la crema de manos es la marca de belleza de Mercadona. «¿Has probado la crema de manos de Deliplus? Es buenísima. Esa cadena de supermercados ha conseguido elevar su firma de cosméticos a una marca digna de recomendación.

En la segunda parte del libro explicaremos cómo consigue Mercadona ofrecer buenos productos a precios bajos, aunque desde la firma valenciana rechazan etiquetarse como «empresa low cost». Quizá es así porque la expresión todavía suscita para muchos connotaciones negativas.

Precisamente su éxito ha servido como estimulante para otras cadenas de alimentación que se han aventurado a lanzar sus propias enseñas, a las que ellas mismas han denominado low cost. El Corte Inglés, que se sitúa entre los supermercados españoles con precios más elevados, anunciaba en 2008 el lanzamiento de «Aliada», su marca de distribuidor. De esta forma rebajaba hasta un 25 % sus precios, pasando a competir directamente con Hacendado, Lidl o Dia: un cartón de leche de la nueva marca de El Corte Inglés costaba en ese momento 70 céntimos, más barato que en Dia (73 céntimos) y que en Mercadona (71), y tan solo un céntimo más caro que en Lidl (69 céntimos).

Algo parecido ocurría con Carrefour y su nueva firma Discount. En junio de 2010 la cadena francesa anunciaba Carrefour Discount, presente en más de trescientos productos de estos supermercados y con una idea clara: conservar la percepción de calidad que el consumidor tiene de sus centros.

Los supermercados se han visto obligados a multiplicar su oferta de marcas de distribuidor por las exigencias del cliente. El Corte Inglés o Carrefour necesitaban apostar por Aliada o Discount como firmas de calidad a precios más bajos si querían seguir siendo competitivos. La estrategia para que su imagen no se deteriorara ante sus clientes era fácil: introducir entre sus productos de marca propia otros con ciertas cualidades diferenciadoras, como «sin gluten», «orgánicos», «diet», con precios un poco más elevados pero, aun así, más baratos que los de la marca tradicional.

La próxima vez que vaya a su supermercado, fíjese: ningún descuento, promoción, oferta o ganga está ahí por que sí. Y si no, reflexione sobre esto: por muy rebajado que compre o por muchas más marcas genéricas por las que opte en su compra, el dinero que gasta, al final casi siempre es el mismo. La explicación es sencilla: si adquiere cuatro productos con un buen descuento sentirá total libertad para poder comprar algún que otro capricho u otro producto de marca que sume unos euros más a la cuenta total.

Barato, barato

Tenemos que comprar algunos muebles para el salón, y está claro adónde vamos a ir: a Ikea. La visita a esta gran superficie se planea como si de ir a pasar el día al campo se tratase. Iremos por la mañana para mirar los sofás y las mesas, luego comeremos en su restaurante, y por la tarde echaremos un vistazo a las cortinas y las alfombras. El día está organizado, pero nuestro presupuesto no. Pese a tratarse de una de las tiendas de mobiliario más asequibles del mercado, la concepción de ir a Ikea a comprar solo una cosa es prácticamente imposible. La tienda de bajo coste que práctica el «móntalo tú mismo» conseguirá llamar tanto su atención con sus productos que, a buen seguro, acabará comprando el cojín con forma de corazón y con manos o unas velas aromáticas en paquetes de 36 unidades. Pero esas estrategias de marketing, de las que nos ocuparemos más adelante, no quitan que la firma sueca sea considerada una low cost, que ofrece a su clientela un producto básico, con un diseño simple y sin montar. El cliente que quiera su mueble listo y colocado en casa, deberá pagar este servicio aparte y el que busque algo más original o de un diseño exclusivo, tendrá que optar por otra tienda.

El uso de internet no es la única estrategia que un comercio emplea para ahorrar costes. Muchas tiendas físicas han conseguido trasladar ese modelo a sus estanterías recortando extras de los que el consumidor ha aprendido a prescindir. Comprar una mesa que se vende en una caja de menos de un metro donde van veinte piezas y un solo folio con instrucciones es la opción que hemos tomado para pagar menos. La competencia de Ikea ha propiciado un boom de ofertas en el sector de las tiendas de muebles: todas quieren ser low cost para competir con la empresa sueca. Pero no se deje engañar: tener que recorrer cien kilómetros para ir a una tienda que ofrece muebles con alguna tara o que son de otras temporadas con algún descuento no significa que estemos yendo a un comercio de bajo coste, pese a que no será de extrañar que en la publicidad de esa tienda encuentre la expresión como reclamo. Recuerde: es barato, no low cost.

Ikea no ha sido la única tienda física que ha conseguido llevar esta estrategia de ventas a su negocio. Piense en Decathlon, Primark o Muebles Boom. Su buen hacer ha permitido al consumidor comprar ropa deportiva a precios bajos e incluso muebles por un euro.

4. «No te llamo, que no tengo saldo»

En una sociedad en la que quien no tiene un teléfono móvil es porque tiene dos, no es de extrañar que las operadoras se aprovechen de esa dependencia que ha convertido ese artículo casi en un producto de primera necesidad. Estamos veinticuatro horas conectados, siempre disponibles, enviamos mensajes de texto con cualquier motivo, y nos desesperamos si nos dejamos el teléfono en casa o si nos quedamos sin batería y no tenemos un cargador a mano.

Ante este panorama, podría parecer que las compañías de telefonía móvil cobran lo que se les antoja por sus servicios, ya que en la actualidad pocas personas estarían dispuestas a prescindir de su querido teléfono.

Las abusivas tarifas a las que nos tenían acostumbrados se han visto reducidas últimamente gracias a la aparición de los denominados OMV (operadores móviles virtuales). Con MASmóvil o Pepephone a la cabeza, decenas de nuevas compañías de telefonía móvil se han unido en la lucha por captar clientela creando una competencia de la que el consumidor debe aprovecharse. El problema es que no lo hacemos. Vodafone, Movistar u Orange siguen manteniendo el mayor número de abonados pese a que sus tarifas superan considerablemente las de los OMV.

Pero ¿cómo puede haber semejante diferencia de precio entre las compañías? Las jovencísimas operadoras virtuales hacen honor a su nombre trabajando casi en exclusiva desde internet. Esta es una de las maneras con las que consiguen reducir costes, aunque no la única. De momento, solo le diremos que está demostrado que los OMV cuentan con las tarifas más baratas del mercado porque optimizan al máximo sus recursos pero aseguran la misma cobertura que las tradicionales.

Llegado a este punto, el usuario debe cuestionarse qué busca de su operador de telefonía móvil para decantarse por una u otra compañía. Hay consumidores que prefieren un buen teléfono de marca y otros a los que no les importa el nombre de su móvil porque les basta con poder llamar, mandar mensajes e incluso conectarse a internet.

El poder del consumidor se ha visto claramente reflejado en este sector. El trasvase de usuarios, cada vez mayor a estos operadores low cost, está beneficiando incluso a los clientes de las grandes compañías que han tenido que reducir sus tarifas de llamadas y de internet por la fuerte competencia de precios. El consumidor que se ha pasado a compañías más baratas ha dejado un claro mensaje a las más caras: «No estoy dispuesto a pagar en mi factura mensual tus tarifas desorbitadas, me cambio de operador si no me ofreces algo mejor».

El hecho de que el propio cliente llame a la empresa de telefonía móvil para amenazarle con irse a otra compañía es cada vez más frecuente. Y funciona, aunque, hasta que no solicite la portabilidad su operadora no se verá contra las cuerdas para brindarle una contraoferta. De nuevo la pelota está en su tejado, de nuevo el consumidor tiene el poder.

5. El *fresh banking*

Seguro que se acuerda de esta frase: «Un banco que hace *fresh banking*». Si es así, intente explicarse qué es lo que significa.

ING consiguió captar la atención del público con este lema que escondía una nueva manera de hacer banca: a través de internet, sin sede física (al principio), sin comisiones y sencilla, básica. Hablando de banca, no es de extrañar que le venga a la cabeza el dicho de «la banca siempre gana», y claro que ING pretendía captar clientela y hacer dinero, pero también logró introducir el modelo de negocio low cost en el sector financiero.

Aunque en España ya había entidades que operaban por internet, como Openbank —nacido en 1995, fue el primer banco online español—, el concepto de low cost todavía no se había impuesto. Fue el banco holandés el que lo introdujo a través de un sistema diferente que permitía el ahorro sin demasiados costes para los clientes.

Su éxito obligó a otros bancos a probar con el modelo del bajo coste, y algunos, como Banesto, lanzaron productos financieros mejor remunerados y libres de comisiones a través de sus filiales en internet.

Sin embargo, muchos de ellos se han presentado como verdaderos bancos low cost, como es el caso de Banesto, que asegura practicar el low cost banking. Pero no sé si a usted le pasa lo mismo que a nosotras, que el concepto banco y low cost en una misma frase nos chirría un poco. La cuestión es que sí que han conseguido ahorrar costes y ofrecer mejores productos al eliminar las comisiones, no cobrar las tarjetas o subir la rentabilidad de sus depósitos.

También en este sector han hecho su aparición los comparadores en internet. Buscar la hipoteca más rentable, el seguro más económico o los depósitos más altos es posible gracias a este tipo de páginas web que permiten recorrer los escaparates de las distintas firmas financieras sin moverse de casa. Un ejemplo es Bankimia. Esta página permite comparar más de trescientos créditos hipotecarios de casi sesenta entidades para encontrar el depósito más rentable e, incluso, cotejar préstamos para estudios y seguros de coches. Aunque para dar con una buena aseguradora uno de los comparadores más conocidos es Balumba. En este caso, el rastreo por la web se realiza entre apróximadamente veinte aseguradoras —las que el portal tiene en su base de datos—, y en poco más de un minuto y tras introducir unos criterios de búsqueda personalizados, el usuario dará con la opción más económica para lo que estaba buscando. Balumba.com es la hija española de la experta en seguros británica Admiral Group, que cuenta con una dilatada experiencia en el sector de los comparadores de precios con páginas como Confused.com. Los mismos pasos que dio Balumba los siguió un par de años después Rastreator.com, el perro buscador de los mejores precios que ha logrado afianzar la confianza de los usuarios en este tipo de portales que, con el mínimo esfuerzo, encuentran los seguros más rentables.

Guía práctica: ¿Cómo reconocer una compañía low cost?

- **Siempre los precios más bajos.** Es la primera norma de una verdadera low cost, que deberá tener precios más reducidos que las compañías tradicionales.
- **Da los servicios justos.** Esta reducción de precios se corresponde con la eliminación de los servicios extra.
- **Se mantiene la calidad.** Por muy barato que sea el producto, la calidad no ha de verse afectada. Precio bajo no significa compra mala.
- **Cuidado con las tarifas adicionales.** El servicio por el que pagará será básico. No olvide que los extras deberá abonarlos aparte.
- **En todos los sectores.** Sin embargo, ándese con ojo, que no es low cost todo lo que reluce.

Capítulo 3

Ser low cost o no serlo, esa es la cuestión

Estamos rodeados de ofertas, promociones, rebajas o descuentos. En cualquier parte puede toparse con algún 3x2 o con alguna propuesta atractiva. Saber aprovecharse de estos reclamos es esencial para considerarse un buen comprador, pero, cuidado, que no todo lo que aparenta ser low cost lo es, ni todos los descuentos son lo que parecen.

¿Sabría identificar una verdadera empresa low cost de otra que solamente se hace pasar por una compañía de bajo coste? Para ayudarle en tal fin hemos elaborado un decálogo con los elementos que, a nuestro juicio, desenmascaran a una falsa low cost:

1. Una falsa low cost relaciona bajo precio con escasa calidad. Si algo no nos hartaremos de repetir es que bajo precio no debe asociarse con mala calidad. Las empresas que ofertan sus productos a precios muy reducidos porque tienen alguna tara o ya están pasados de temporada no son low cost. Quizá recuerde el antiguo Zara Taras. A pesar de ser una interesante fórmula de Inditex para liberar stock y prendas defectuosas, y una buena oportunidad para los cazadores de gangas, lo que se ponía a la venta eran artículos con taras, por lo que no podía denominarse de bajo coste. Eran artículos más baratos porque estaban rotos, desteñidos o descosidos.

2. Sus estructuras y su organización son complejas. Una compañía low cost logra ser competitiva con sus precios gracias, entre otras cosas, a que cuenta con un sistema básico: sus plantillas están ajustadas, reducen o eliminan sus oficinas o se trasladan a internet. Fíjese en EasyJet. La aerolínea británica dispone de unas de las mejores tarifas del mercado gracias a que su organización es menos compleja que la de cualquier aerolínea tradicional. A una compañía que tenga detrás un gigantesco organigrama y se rija por una severa burocracia corporativa le resultará más complicado ajustar gastos para ofrecer precios bajos.

3. No reducen costes en sus procesos de distribución y logística. Una de las características que definen a una compañía low cost es su capacidad para recortar gastos en logística, producción y distribución. Lo comprenderá mejor si compara Aldi con los supermercados Sánchez Romero. El primero trabaja con muy pocos proveedores porque sus productos estrella son de su propia marca, mientras que el segundo se caracteriza por una amplia variedad de artículos de marcas diferentes. Un solo camión de la cadena germana Aldi llega de Alemania con una carga que incluye desde botes de conserva hasta gel de ducha. Los camiones que abastecen a Sánchez Romero llegan desde diferentes zonas y proceden de varios fabricantes, pues esta compañía presume de disponer de una amplia variedad de productos de los mejores proveedores y de diferentes procedencias.

4. Incluyen servicios de los que se puede prescindir. Añadir prestaciones con el único fin de ganar cuota de mercado no es coherente con este modelo de negocio. Air Madrid es un ejemplo. Esta aerolínea, que se consideraba de bajo coste, cometió el error de ofrecer en sus vuelos la posibilidad de viajar en clase business. Rompía una regla de oro: ofrecer servicios básicos.

Tampoco se pueden considerar low cost aquellas compañías que, pese a contar con precios realmente competitivos, incluyen en la factura final del cliente servicios que este no ha utilizado. La mayoría de las veces en las que nos alojamos en un hotel no usamos el servicio de desayuno, sobre todo por el horario en el que se ofrece cuando estamos de vacaciones, ¿verdad? Sin embargo, casi todos los establecimientos hoteleros dan por hecho su uso y lo cobran. Un verdadero hotel low cost también le ofrecerá el servicio de desayuno, pero siempre y cuando usted lo pague como un extra.

5. Trabajan con intermediarios. La mayoría de las tiendas visten a sus maniquíes de varias firmas. Imagínese la zapatería de su barrio. En ella encontrará zapatos Mustang, zapatillas Converse o Nike y botas Hispanitas, por ejemplo. El comercio paga por recibir cada una de estas marcas. Si solo vendiera los artículos que produce, se ahorraría esos costes de los intermediarios. Con esta idea nacieron tiendas como Primark, que comercializa los artículos que ella misma diseña y ni siquiera cuenta con maniquíes.

6. Tienen letra pequeña. Las compañías de bajo coste siempre se han jactado de informar claramente y sin reservas sobre sus servicios y productos. Utilizan y necesitan la información, pues buscan que el cliente conozca realmente el porqué de sus bajos precios. Han hecho suyo el dicho «sin trampa ni cartón». Sin embargo, no son pocas las empresas que esconden algunas condiciones entre la letra pequeña o, simplemente, obvian algunos detalles importantes. Estas últimas no podrían calificarse de bajo coste. Piense en todas esas operadoras de ADSL que le prometen 20 megas sin especificarle que esa es la velocidad máxima que podría alcanzar su router. Conseguir esa velocidad sucede siempre en el mejor de los casos, y lo normal será que se conforme con 10 megas y que a la tarifa que le ofertan haya que sumarle, como mínimo, el IVA.

7. Invierten mucho dinero en campañas de marketing. Una compañía low cost, en su afán por reducir costes, también huye de la publicidad convencional. Estas empresas no suelen anunciarse en los faldones de los periódicos y las revistas y, mucho menos, en los cortes televisivos. Y decimos «no suelen» en vez de «nunca» porque en los últimos años firmas como Vueling han hecho de la publicidad su mejor reclamo. Un ejemplo claro es Mercadona. Seguro que no consigue recordar un solo anuncio de esta cadena de supermercados, ¿verdad?

8. Publicidad engañosa. Si las low cost presumen de su «verdad verdadera», como en su día diría Yoigo, no deberían lanzar ofertas con truco. Es decir, no deberían promocionarse con atractivos ganchos que luego no lo son tanto. Es imposible no acordarse de Ryanair y la publicidad de vuelos a un euro, cifra que misteriosamente va engordando en el proceso de compra con tasas e impuestos de los que no se informaba en la oferta inicial.

9. No son siempre fieles a su imagen de marca de bajo coste. Buen ejemplo de ello es Zara, una tienda que en España vende moda urbana para todos los bolsillos pero que en Nueva York se encuentra en la Quinta Avenida, rodeada de las más prestigiosas firmas. Es capaz de vender el mismo abrigo en Madrid por 80 euros y en su tienda en la Gran Manzana por más del doble. Su prestigio le lleva a modificar sus precios a su antojo por el afán de captar clientes que en Nueva York se considerarán de una clase social más elevada que en Madrid.

10. No evolucionan al ritmo de la sociedad. Hay muchas compañías tradicionales que han terminado desapareciendo porque no han sabido adaptarse a las nuevas circunstancias del mercado. Las low cost se han desarrollado a la par de las demandas de los consumidores, aunque cada una haya elegido caminos diferentes. Algunas le han sido fiel al concepto, otras lo han traicionado y otras lo han exprimido al límite.

En las siguientes líneas nos centraremos en ejemplos de falsas low cost y de otras verdaderas a las que el ansia por reducir costes y ganar clientes les ha obligado a desviarse de su propuesta inicial de ser compañías de bajo coste.

El modelo low cost no siempre funciona

Una verdadera low cost nace y no se hace. Son empresas que se basan en una estrategia de austeridad, que no buscan un amplio margen comercial, que utilizan canales de distribución directos, saltándose así a los intermediarios, y que intentan reducir al máximo los costes operacionales. Es un modelo distinto, no es una transformación del que ya existía. Entiende ahora por qué una compañía de bajo coste lo es desde sus inicios, ¿no? Imagínese que El Corte Inglés intentara reinventarse hacia un modelo low cost... Parece imposible que ese gran monstruo pudiese adelgazar todas sus cadenas de producción y de distribución. Tendría que eliminar plantilla, cerrar algunos centros o reconvertirlos en tiendas virtuales y dar tijeretazo a su larga lista de proveedores. Es decir, se vería en la obligación de transformar casi por completo su modelo de negocio y su imagen.

Como ese cambio radical es imposible sin romper con todo lo anterior, lo que hizo El Corte Inglés fue abrir dos nuevas ramas de negocio que denominó low cost. La primera fue Aliada, que es realmente una marca de distribuidor, y la segunda fue Primeriti, un club de venta privada por internet que le sirve para dar salida a su stock.

El low cost es una práctica que busca reducir y minimizar costes sin perder el servicio básico que persigue el cliente, y tal concepto es fácilmente aplicable a casi todos los negocios, pero no siempre funciona o no siempre se sabe poner en marcha. Como comentábamos, si El Corte Inglés intentara reorganizarse por completo para ser low cost, probablemente fracasaría, pues ofrecer servicios tradicionales a precios muy reducidos es un suicidio empresarial.

Y si no nos cree, piense en Air Madrid. Esta aerolínea quiso estirar tanto el chicle del low cost que acabó desafiando las leyes de la lógica cuando adoptó el modelo de bajo coste a los vuelos de largo recorrido. La idea era estupenda, sí. Sobre todo para los clientes que podían volar a Cuba por la mitad de lo que les costaba ir en Iberia. Pero, obviamente, era insostenible.

Para dar ese servicio, con la estructura con la que contaba —es decir, flota reducida y plantilla ajustada—, a la aerolínea no le quedó más remedio que explotar al máximo todos los recursos a su disposición. De esa manera, su personal tuvo que realizar interminables jornadas de trabajo y sus aviones fueron sobreutilizados; incluso llegó a ponerse en entredicho la seguridad en sus vuelos ya que algunos de sus aviones volaron más de una treintena de veces sin el visto bueno de sus mecánicos. La estrategia de Air Madrid solo era la crónica de una bancarrota anunciada.

Su estructura era la propia de una empresa de bajo coste. Su logística estaba tan calculada que un ligero retraso en un vuelo ponía en jaque todos los programados para ese día. Disponía de márgenes de tiempo muy ajustados y de una flota de aviones demasiado reducida para el tipo de negocio que pretendía sacar adelante.

Como veremos más adelante, hay toda una serie de pautas básicas que toda aerolínea de bajo coste debe cumplir para triunfar como tal. Air Madrid falló en casi todas ellas y desafió una de las principales: viajes cortos para amortizar los vuelos al máximo. Mientras Air Berlin puede realizar cinco o seis operaciones diarias en su trayecto Berlín-Palma de Mallorca, la ruta de Air Madrid Madrid-Cuba duraba nueve horas, lo que imposibilitaba hacer más de dos trayectos al día. Además, esos vuelos requieren más tiempo de parada entre una llegada y la siguiente salida, y al tratarse de aviones más caros y con más restricciones y exigencias, el mantenimiento es mucho más costoso.

El cierre de Air Madrid, sin embargo, no sirvió de ejemplo. Air Comet la adquirió en 2007 y repitió todos sus errores. Trayectos largos, precios bajos y, de nuevo, la quiebra. Y es que, cuando una compañía se gesta, puede aflorar como una empresa tradicional o una low cost, pero los híbridos no funcionan: o se reorientan hacia alguno de esos dos modelos o desaparecen. Air Madrid, en concreto, fracasó porque no tenía un sistema claro. Esta compañía no era de bajo coste porque trabajaba con agencias de viajes, en lugar de operar por internet, realizaba vuelos de largo recorrido y, además, disponía de clase business. Pero tampoco era completamente tradicional, pues contaba con una flota muy reducida, una plantilla ajustada y una organización limitada que le permitía reducir sus precios y autodenominarse low cost. No se puede jugar en dos ligas a la vez, y Air Madrid perdió el partido.

Con todo, las aerolíneas no son las únicas que se han apodado low cost sin serlo o que han pretendido abanderar la exclusiva filosofía del bajo coste realizando campañas de reducción de precios. Mango es un ejemplo de ello. Esta marca de ropa, que ha sabido acercar la moda a la clase media, confundió, sin embargo, low cost con «paga menos por algo peor». Mango sacó al mercado en 2010 una colección de moda que bautizó como «Think up» y que iba destinada a los bolsillos menos pudientes. Las prendas que ofrecía bajo ese nombre eran menos originales y más básicas que el resto de la ropa de sus estantes. El objetivo era atraer a los consumidores con presupuestos más ajustados para la moda de calle, pero cometió un fallo: puso a la venta una colección propia más barata pero de menor calidad y con diseños sencillos, y la colocó junto a su surtido habitual. No solo eso, sino que, además, identificó las prendas de esa colección con etiquetas especiales, como si quisiera dejar claro que esa ropa «barata» no tenía nada que ver con las colecciones habituales que ofrecía en sus tiendas.

Una firma como Mango, que lleva años triunfando entre un público fiel que ha impulsado su marca, pecó de avariciosa. Quiso ampliar su espectro de clientes introduciendo en su estructura un elemento externo mal concebido y, lejos de conseguir su propósito, se vio obligada a cancelar la colección porque los consumidores que se acercaban a esa ropa «barata» percibían que estaban siendo tratados como si fueran clientes de segunda clase. Ni siquiera las buenas intenciones que Mango atribuyó a esas prendas (el 1 % de cada venta iría a parar a una ONG) evitaron que se retiraran.

Las promociones puntuales tampoco son low cost. Bautizar un menú así porque se ofrece con un 60 % de descuento un sábado concreto es tan solo una forma estupenda de captar nuevos clientes. Pero antes de lanzar dicha oferta, el empresario debería pensárselo dos veces. Imagine que, atraído por una cena de 10 euros que antes costaba 35, usted decide acudir a dicho restaurante. Si al llegar descubre en la carta los verdaderos precios de los platos habituales y, quizá, lo que le va a costar la botella de vino o el postre, que no están incluidos, lo más seguro es que opte por no volver a ese restaurante, a no ser que sea por otra maravillosa oferta. No considerará que esos precios se ajustan a su presupuesto y relacionará ese local con un lugar caro, fuera de su alcance. El dueño del restaurante habrá fracasado porque no habrá conseguido fidelizarle como futuro cliente.

Seamos o no marquistas, nos gusten más o menos las firmas de lujo o comer en restaurantes caros, siempre exigimos un precio justo. La filosofía low cost ha despertado esta demanda y ha motivado el nacimiento de una nueva sociedad: una sociedad en la que pueden encontrarse en la misma fila de cajas del AhorraMás a un mileurista que comparte piso en el centro de cualquier ciudad, a un reputado profesor de universidad y a un parado de larga duración. Son distintas carteras pero una misma actitud: todos ellos compran calidad a precios más asequibles.

Oro parece...

Esta conducta es la que ha propiciado el éxito de los clubes de venta privada en internet o de las páginas de cupones. Estos negocios no pueden considerarse de bajo coste, pero ofrecen una alternativa asequible al ocio más caro. Triunfan entre los consumidores low cost porque plantean la posibilidad de acceder a actividades diferentes que, hasta hace poco tiempo, no estaban al alcance de los bolsillos menos pudientes.

No son low cost. No recortan ningún coste, sino que actúan únicamente como plataformas.

Portales de cupones como, por ejemplo, Groupon, o clubes de venta privada como BuyVip disponen de buenos artículos y servicios a precios rebajados hasta un 70 % porque las firmas que acceden a vender sus productos a través de estos canales saben que sus cientos de clientes estarán esperando, ansiosos, cualquiera de estos descuentos.

Se da cuenta de que sus estrategias no responden al esquema low cost, ¿verdad? Simplemente le han puesto precio al escaparate. Estas páginas cobran una comisión a las firmas por las ventas de los productos que se realizan a través de su canal. Cuantos más artículos se vendan, más ganan. Y para conseguir márgenes mayores utilizan alguna que otra maniobra de la que le informaremos en los próximos capítulos.

El curioso caso de Zara

¿Cuántos consumidores no han confundido a Zara con una tienda low cost? A nosotras mismas nos costó darnos cuenta del fallo en la ecuación antes de ponernos a investigar para realizar este libro.

Zara y otras marcas que venden moda de calle se definen como comercios asequibles, pero no podrían calificarse como de bajo coste. Aunque cumplen con muchas de las características del modelo, fallan en una importante: sus precios varían en función del poder adquisitivo de la población en la que se ubiquen sus tiendas. No tiene los mismos precios un Zara de Londres que uno de Madrid, por ejemplo. Sin embargo, el low cost no distingue entre clases. Ofrece sus productos por igual sin discriminar a los clientes por lo abultado de su billetera.

Que en España se la considere prácticamente una compañía de bajo coste se debe a que ha sabido democratizar la moda, ya que ha logrado poner al alcance de todos las últimas tendencias. Rompió los esquemas tradicionales. Renunció a los mejores tejidos para apostar por una buena creatividad y, de esta manera, poder rebajar el precio de sus productos. Además, vio en los cambios de temporada y en las épocas de rebajas una oportunidad todavía no explotada al máximo. Ideó un sistema de temporadas consecutivas para tener la excusa de estar siempre en constante liquidación y poder ofrecer precios bajos.

Aunque ha utilizado algunas de las estrategias que definen a una low cost, Zara no podría calificarse como tal porque su deseo de ampliar sus márgenes de beneficios lleva a la firma a variar sus precios en función del poder adquisitivo de los clientes. ¿Se imagina que EasyJet modificase el coste de sus billetes en función de la zona en la que viva el comprador? No, ¿verdad? Un mismo vuelo con la británica le costará igual a un londinense que a un madrileño. Pero una falda de Zara en Londres no le costará lo mismo que en Madrid.

Sin embargo, la empresa textil con sede en Galicia ha sabido ganarse la confianza de los consumidores españoles, pues los que compran en sus centros de España saben lo que están adquiriendo: ropa de última moda a módicos precios que solo les durará una temporada.

NACIERON COMO LOW COST PERO...

Lidl, sin duda, representa a una compañía de bajo coste. Al menos en Alemania. La cadena de supermercados germana se define por vender productos básicos de su propia marca a bajos precios y otros más caros, como pequeños electrodomésticos, con buenas ofertas de duración limitada. Estos últimos los utiliza como gancho para atraer a clientes que todavía no son fieles a su insignia.

Lidl vio la luz en la década de 1970 en Alemania Federal para hacerle la competencia a los supermercados convencionales. A fin de conseguir tal propósito, decidió dar un giro al sistema y se presentó al público como una tienda de descuento con todos los productos propios de un supermercado pero con menos variedad de gama, pues todos sus artículos eran de sus propias marcas.

Sus tiendas y supermercados cuentan con largos pasillos en los que no se cuida la decoración ni la colocación de los productos, bordeados de palés que contienen los artículos que se venden al público y que se sustituyen por otros nuevos cuando aquellos quedan vacíos. No necesita más personal que el que trabaja en caja y en almacén.

Su logística también es la propia de una low cost. No puede permitirse el lujo de tener camiones parados, por eso está tan calculada su organización. Abastecen continuamente a todos sus centros, como si de un gran riego sanguíneo se tratara, y trabaja con pocos proveedores.

Su idea caló bastante bien entre el público germano, pero a Lidl le costó algo más de tiempo hacerse un hueco en España. Los consumidores españoles estábamos acostumbrados a tiendas decoradas, cuidadas en la forma, con estantes distribuidos por categorías de productos y con dependientes que solventaran nuestras dudas. Habíamos recibido de buen grado la implantación de otros centros como Carrefour, pero Lidl se nos atragantaba. Es por eso que la cadena alemana decidió poner estanterías en algunos de sus centros para parecerse a un supermercado convencional e incluyó entre sus artículos otros de marca.

Pero no se quedó solo en eso. Para ganarse popularidad entre los compradores españoles, también rompió con otra de las reglas básicas del low cost: la publicidad tradicional. Utilizó la televisión para darse a conocer con eslóganes pegadizos. Comprendió que para ganar cuota de mercado en España, tendría que desdibujar su estrategia inicial... ¿O quizá no era necesario? Mercadona, por ejemplo, no ha tenido que echar mano de la publicidad clásica para ganarse la confianza de los compradores. Utilizó la táctica contraria. Primero ofreció artículos de marca mezclados con los suyos propios para ganarse la aceptación del público y luego fue retirando poco a poco la mayoría de esas firmas para hacer de Hacendado su buque insignia.

Otra que evolucionó del low cost al esquema tradicional fue Yoigo. La operadora de telefonía móvil surgió con la pretensión de adecuarse a las reglas que rigen la nueva sociedad, la sociedad low cost. Decidió apelar a la lógica del consumidor e intentó ganarse a la clientela que buscaba mejores precios. Al principio solo ofreció dos únicas tarifas: una para prepago y otra para contrato, ambas con un coste de 12 céntimos por llamada y 10 céntimos por mensaje. Sin redes de distribución propias, con la venta directa y una reducida plantilla era capaz de plantar cara a los grandes operadores del sector. Subcontrató los servicios de otras compañías para garantizar el buen funcionamiento de áreas como la logística, la distribución y la atención al cliente. Como no vendía móviles, sus clientes contrataban tarjetas SIM que funcionaban con normalidad en cualquier aparato liberado.

Pero, además, supo cómo sacar partido a algunas de las aristas que definen el esquema tradicional e invirtió en publicidad convencional. Con lemas como «Verdad verdadera» o «Yoigo mola, nunca subirá sus tarifas» despertó la curiosidad de aquellos consumidores que ya confiaban en el éxito del modelo low cost.

El éxito llevó a la operadora a desviarse del camino y derivó en una empresa cuasi tradicional. Sus dos tarifas únicas se multiplicaron, y elevó sus precios. Decidió ofrecer móviles básicos con las firmas de sus contratos y aparatos de última generación con contrato de permanencia. Y, además, cuenta con red de frecuencia propia.

Sin embargo, esta jugada no le salió mal. Yoigo sigue siendo una de las compañías más baratas del mercado y ahora, además, cumple con algunas de las exigencias que reclama el cliente: diferentes planes de precios que se acomoden a sus horarios y alternativas a los teléfonos «gratis» a cambio de unos meses de permanencia obligatoria.

Exprimir al máximo el concepto

Si hablamos de low cost en estado puro, inevitablemente pensamos en aerolíneas como Vueling, EasyJet, Air Berlin o Ryanair. Ellas iniciaron la estrategia del ahorro de costes que en la actualidad se extiende por casi cualquier sector, pero en algunas ocasiones los recortes se han llevado al extremo.

La española Vueling es conocida por aprovechar al máximo el espacio en sus aviones. El tamaño de los asientos y la separación entre las filas son tan justos que no todos pueden acomodarse con cierta holgura haciendo que clientes con más peso o que viajan con niños no compren billetes una segunda vez con esa aerolínea.

En EasyJet, los trabajadores han protagonizado en varias ocasiones protestas por los duros recortes salariales y su larga jornada laboral. Al caso, una azafata que sale de Madrid a las siete de la mañana puede llegar a servir en seis vuelos en el mismo día, regresando en el último avión a las diez de la noche.

En el resto de las compañías ocurre más o menos lo mismo. En Ryanair se ha llegado a decir que la tripulación tiene prohibido cargar el móvil en los aviones, para ahorrar, o que sus aeronaves siempre van justos de queroseno.

Sean rumores o no, el afán por reducir los costes y, consecuentemente, ofrecer las tarifas más bajas, ha provocado que en muchas ocasiones se desvirtúe el concepto inicial, y muchas compañías ya no ofrecen servicios o productos de calidad a buen precio sino que tan solo venden lo más barato.

Y USTED, ¿ES LOW COST?

La sociedad de consumo ha evolucionado hacia una sociedad más responsable con su dinero y su tiempo. Y la filosofía low cost lo ha hecho posible.

Lo que nació como un nuevo modelo de negocio, con nuevas reglas, se ha contagiado a la población. Se ha presentado como una nueva estrategia que sitúa al comprador en una posición relevante en la transacción. Le facilita el acceso a buenos productos a mejor precio, le pide opinión de sus artículos y le ofrece la posibilidad de ahorrarse unos euros para destinarlos a cualquier otro capricho.

El low cost no tiene que ver con ofertas puntuales. Renuncia a la forma para darle importancia a la calidad a buen precio.

Iguala a las clases sociales porque no pretende ser barato por serlo. No nace como concepto de mercadillo. Se ha introducido en el sistema como un elemento rebelde que ha sabido reunir en un mismo establecimiento a las rentas bajas y a las altas.

Quizá por eso nosotros, los consumidores, no deberíamos preguntarnos qué empresas son puramente low cost y cuáles no. Lo que deberíamos cuestionarnos es si nosotros somos low cost; es decir, si somos compradores prácticos que no se dejan impresionar por la marca y sí por la calidad bien entendida.

Guía práctica: ¿Cómo reconocer una falsa low cost?

- **Baja los precios pero también la calidad.** Una falsa low cost ofrece precios más bajos por productos de calidad dudosa o claramente mala.
- **Ofrece ofertas puntuales.** Venden sus productos habituales, pero cuando pasan de temporada o no consiguen deshacerse de ellos a los precios que tenían, los rebajan.
- **No varía su estructura.** Responde a una estructura empresarial tradicional, sin los característicos recortes en los procesos de producción de una low cost.
- **Apuesta por la publicidad de «toda la vida».** La publicidad se convierte en un pilar básico para atraer al máximo número de clientes con las estrategias más enrevesadas.
- **Hace un uso inadecuado de la expresión.** Llevar colgado el cartel de low cost es un importante reclamo para los consumidores, pero la mayoría de estas compañías se lo atribuyen sin merecerlo.

Capítulo 4
Lowxury

Sentir los chorros de agua de un spa recorriendo su cuerpo. Disfrutar de un masaje facial y desear que nunca acabe. Notar la velocidad al volante de un Ferrari. Degustar un verdadero manjar maridado con el mejor de los vinos. Pasar la noche en un hotel de ensueño y no querer despertar...

Lujos, caprichos y marcas. Mantenga la sonrisa en la cara porque este capítulo lo dedicaremos al lowxury. Mitad low cost mitad «luxury», se trata de una combinación un tanto peculiar de la que sin duda quedará prendado y de la que intentaremos enseñarle a sacarle provecho.

Hablar de lujo supone hablar de firmas de moda, viajes idílicos, comida gourmet, vinos de reserva y actividades fuera de nuestro alcance. Pero tenemos una buena noticia que contarle: el lujo se ha democratizado.

Como consumidores low cost inteligentes, tenemos una idea clara: nos gusta saber que lo que estamos consumiendo es un auténtico chollo. Degustar unos 10 gramos de caviar puede llegar a costarle 150 euros. Disfrutarlos con la misma calidad pero por 20 euros se considera una verdadera ganga. Precisamente esto es lo que consigue el lowxury: ofrecer productos de alto standing a precios asequibles.

La democratización de las marcas ha permitido que muchos consumidores de nivel medio puedan optar a firmas de moda o a actividades que antes eran coto privado para algunos pocos. Con esta estrategia las dos partes ganan. Por un lado, las marcas han conseguido ampliar su espectro de clientes, siempre teniendo mucho cuidado de no perder su alta categoría, y por otra, los consumidores conseguimos sentirnos «exclusivos» sin que nos cueste un riñón.

¿O acaso nos negará que sentarse al volante de un coche de carreras no le produce un sentimiento que va más allá de lo explicable? Hablamos de poder, de fuerza, de acceder a experiencias que antes tenían precios prohibitivos. Acompáñenos en este recorrido por esta nueva concepción del lujo. El lujo para todos.

1. Hoy me visto de Prada

¿Qué precio estaría dispuesto a pagar por lucir unos Manolo Blahnik? La locura por las marcas llega a su extremo en Japón, donde tener un bolso de Louis Vuitton, Gucci o Prada se convirtió hace unos años en una moda de masas entre la población más joven. Chicas de entre 14 y 18 años estaban dispuestas a hacer cualquier cosa por conseguir uno, incluso prostituirse. El «lo quiero porque lo tienen todas mis amigas» llevaba y lleva a cientos de adolescentes japonesas a buscar contactos en diferentes foros que organizan citas por dinero. Puede resultar impresionante que se llegue a estos extremos tan solo por conseguir un producto de marca, pero le aseguramos que esta historia es totalmente real.

Para las firmas como Prada, Louis Vuitton o Gucci, que miles de jóvenes japonesas lleven sus bolsos no resulta nada positivo. Por una parte, porque pierden la categoría de exclusividad y, por otra, porque no les interesa tener a ese tipo de clientes pese a que se gasten el dinero en adquirir sus productos ya que pueden empañar su imagen de marca.

Sin necesidad de llegar a esos límites, agarre el monedero porque vamos a invertir un poco de nuestro tiempo en ir de compras de lujo low cost poniendo ejemplos reales de firmas en boga que se han hecho más accesibles.

Nuestra primera parada será Custo. Vestidos, camisas, camisetas, pantalones... todo con precios hasta un 50 % más baratos que a los que nos tiene acostumbrados la marca. Con la enseña Custo Low Cost, la compañía catalana presentaba en 2009 su nueva propuesta lowxury asegurando que se trataba de lujo pero a un precio bajo. Una colección diferente que nos permitirá llevar un diseño original de la marca sin dejarse medio sueldo.

Seguimos caminando y entramos en H&M. Si conoce la cadena de tiendas se sorprenderá de que la introduzcamos en nuestro recorrido lowxury pero todo tiene su explicación. Poder comprar un vestido de Versace por un precio cuatro veces inferior al que tiene cualquier prenda diseñada por esta marca es sin duda todo un lujo. O adquirir unos stilettos diseñados por Jimmy Choo por 40 euros, cuando su precio original es cinco veces más, es considerado por cualquiera un chollo. Esto es precisamente lo que ha hecho la cadena H&M, que varias veces al año lanza campañas de moda con la venta de grandes firmas de pasarela a precios mucho más accesibles.

Acabaremos nuestro paseo en un centro comercial. Desde hace más de quince años las grandes firmas de moda han puesto a la venta sus prendas de temporadas pasadas con descuentos de hasta el 70 % en los denominados «outlets». En cualquier factory, o en «Las Rozas Village Chic Outlet Shopping» podremos entrar a las boutiques de Pedro del Hierro, Calvin Klein, Roberto Verino, Bimba y Lola o Purificación García.

La necesidad de acercarse a un consumidor de clase media-alta ha calado en general entre muchas de las grandes firmas de la moda. Fíjese en Prada, Armani o Dolce & Gabbana. Seguro que no puede calificar a ninguna de ellas low cost, pero desde hace unos años las tres han optado por lanzar líneas de moda con precios más ajustados. Prada con Miu Miu, Armani con Armani Junior, Armani Exchange, Armani Jeans y sobre todo Emporio Armani o Dolce & Gabbana con D&G han conseguido acercarse a un público más joven que busca vestir marcas a mejor precio.

Pero si en algún sitio se ha logrado comprar con grandes descuentos ha sido en internet. Si adquirir unos Levi's en Estados Unidos es casi un 50 % más barato que en España, ¿por qué no hacerlo?

Además de ir de compras por medio mundo con tan solo un clic, las verdaderas gangas de la moda de marca se encuentran en los clubes de venta privada en internet. ¿Alguna vez quiso darse un capricho y no pudo? Estos clubes han posibilitado a muchos consumidores tener acceso a las grandes firmas y les han hecho sentir que lo que tienen ante la pantalla de ordenador es una oportunidad única.

Es una compra muy gratificante en la que el funcionamiento es similar al de los outlets tradicionales, es decir, con ropa de temporadas pasadas. Para las firmas de moda, el stock de otras estaciones ya no tiene ningún valor (para Custo, por ejemplo, una falda de la colección del año pasado contabiliza como una pérdida en sus cuentas). Poner a la venta esos artículos supone sacar beneficios de lo que ya no iba a reportar nada: beneficios para la marca, beneficios para el club de venta y, si considera que ha hecho una buena adquisición, beneficios para usted.

2. Antes muerto que sencillo

Una imagen vale más que mil palabras. Pagar por un gimnasio y por tratamientos de belleza o invertir en cosméticos hasta hace poco era un lujo para nuestros bolsillos. Pero el low cost parece haberse extendido a todas las propuestas de belleza que pueda encontrar. Tanto si hasta ahora lo consideraba un lujo como si no, pocas excusas le quedan para no unirse a esta tendencia por cuidarse a toda costa.

En busca de la perfección

Desde hace unos años no es extraño que lleguen a nuestras manos ofertas como esta: una hora en un circuito spa, con jacuzzi y todo tipo de chorros de agua, y un zumo de frutas al finalizar por 8 euros. Por supuesto, más de una vez lo hemos comprado sin dudar.

Últimamente, cada vez son más los amigos o conocidos que nos comentan lo relajados que quedaron tras pasar por uno de estos circuitos, lo bien que les sentó un masaje oriental o lo emocionante que resultó darse un baño en chocolate. Hace diez años, ¿a quién se le habría ocurrido regalarse o regalar una sesión en un spa urbano? A nosotras no, pero hemos de reconocer que desde hace un tiempo es uno de nuestros caprichos más asequibles.

El sector de la belleza invade las webs de descuentos, y si no, mire. Tratamientos de cavitación, presoterapia, fotodepilación, depilación láser, alisado de queratina, alisado japonés, circuitos de spa, fotorrejuvenecimiento facial, masajes con chocolate, con algas ¡y hasta con cerveza! Todas estas propuestas pueden encontrarse en tan solo un día recorriendo las principales webs de descuentos en España. Concretamente, en torno al 80 % de los planes que ofrecen páginas como Groupon, Groupalia o LetsBonus pertenecen a este tipo de actividades.

Y no es de extrañar que apuesten por estos planes porque funcionan realmente bien. Un pack deluxe contra la celulitis por 120 euros en lugar de 1.100 o un masaje con piedras preciosas por 100 euros en vez de 330. «De lujo», «exclusivo», «oportunidad única», «te lo mereces». Los llamamientos a sentirse bien por dentro y por fuera junto con los importantes descuentos que ofrecen han hecho surgir un nuevo tipo de negocios de belleza lowxury que triunfan entre los consumidores.

Al igual que explicábamos en el epígrafe anterior que las grandes firmas de moda habían conseguido abrirse a una clientela de clase media, lo mismo ocurre con el sector de la belleza. Si antes pensar en una velada en un jacuzzi con cava, bombones y velas era una imagen que usted relacionaba con las películas, ahora es una actividad al alcance de su bolsillo. Los centros de estética, belleza y termalismo han querido llegar a más consumidores, y la mejor forma de hacerlo ha sido rebajando sus precios y uniéndose a la filosofía low cost.

Algunos centros de estética se han decantado por lanzar ofertas puntuales como 2x1 o sesiones gratis. Otros han cambiado por completo su modelo de negocio rebajando costes, por ejemplo en aparatología o especializándose en tratamientos concretos. Y otros han surgido como nuevos negocios low cost. De una forma u otra, todos tienen algo en común: ninguno de esos centros se ha permitido perder calidad ni exclusividad. Aunque por menos de 10 euros pueda disfrutar de un relajante jacuzzi, siempre tendrá la sensación de estar beneficiándose de una actividad de lujo y, por tanto, de aprovechar un chollo.

Este tipo de centros de belleza y estética han conseguido calar en la sociedad actual convirtiendo sus sesiones y tratamientos en un placer accesible que nadie quiere perderse, o por lo menos nosotras no, ya que un buen masaje con un 60 % de descuento no puede venir mal a nadie.

Chic & cheap

Si tuviera que poner una nota a Deliplus según valore la calidad de la marca en referencia a su precio, ¿cuál sería?

La marca de cosmética de Mercadona ha conseguido convertirse en una firma de productos de belleza con nombre propio y muy valorada entre los «deliplusadictos». Esto explica que su crema corporal de aceite de oliva venda al mes en torno al millón de unidades, cuando las estimaciones iniciales de venta se situaron en las setenta mil.

La fuerte competencia que suponen productos como los de Deliplus en el sector de la belleza afecta también a las grandes firmas de cosmética, que han tenido que adaptar su negocio y ofrecer nuevas gamas con precios mucho más populares.

Hay algunas marcas que han optado por abaratar costes dejando de invertir en publicidad. Otras han elegido gastar más en investigación para encontrar la posibilidad de ofrecer productos más asequibles. Son diferentes fórmulas para un único objetivo: ser eficaces y efectivos pero con bajos precios.

En un campo tan delicado como es el del cuidado del cuerpo, el principal temor para los usuarios de productos de belleza más baratos es no perder ni un ápice de calidad. Y en este campo han jugado firmas como Essence, Kiko Make Up, New York Color, Carlo di Roma, Elf o Basic, que se han consolidado como firmas de cosméticos low cost. Su éxito se basa precisamente en haber logrado ganarse la confianza de los consumidores que utilizan sus productos con la garantía de calidad de los mismos y, lo mejor de todo, por mucho menos dinero.

Ante este panorama es normal que la mayoría de las firmas tradicionales de belleza hayan tenido que adaptar su estrategia para intentar unirse a la filosofía del bajo coste. Por un lado venden el «superproducto» milagroso no apto para todos los bolsillos. Por otro, una nueva gama de cosméticos básicos que siguen llevando la firma de la marca pero que reducen sus propiedades «mágicas» para recortar sus precios. Es el caso de los productos esenciales que marcas como Vichy o Garnier ya han adoptado.

A TONO SIN QUE SUFRA EL BOLSILLO

Desde hace unos años ir a un gimnasio era como visitar un parque de atracciones: cientos de actividades, máquinas, horarios, piscinas, saunas, masajes, tratamientos de belleza o entrenadores personales dispuestos a facilitar a más gente la operación biquini o la depresión poscomilonas navideñas.

En la actualidad, esos parques de atracciones deportivos han visto necesario adaptar sus tarifas a un modelo de negocio low cost. Pagar 100 euros por tener acceso a decenas de actividades a las que seguramente no tendría tiempo de acudir era un planteamiento que poco cuadraba con la filosofía del consumo inteligente. ¿Para qué quiero acceso al baño turco, las pistas de tenis o las clases de kick boxing si lo único que pretendo es hacer aeróbic o acceder a las máquinas?

Así surgieron los nuevos gimnasios low cost que por precios comprendidos entre los 15 y los 20 euros ofrecen actividades adaptadas a las necesidades de los usuarios. Algunos prescinden de los entrenadores personales, de las clases de actividades e incluso de las duchas en los vestuarios. Cualquier ahorro de costes sirve para reducir el precio final. Si quiere ducharse después de una sesión de entrenamiento, no tendrá más remedio que hacerlo en casa, pero su gimnasio le resultará un 60 % más barato que cualquier otro centro. Usted decide.

Un caso particular es el de los centros AltaFit, que han nacido de las cenizas de gimnasios de lujo que no han logrado sobrevivir.

espectacular que el turista que se sentía exclusivo por navegar en uno de esos hoteles flotantes ha tenido que recurrir a otras alternativas más caras para no encontrarse en cubierta con bolsillos menos pudientes. Mientras algunos buscamos calidad a buen precio, otros consumidores creen que el precio lo es todo. Pero vayamos a lo nuestro. ¿Cómo hacer para embarcarse en un transatlántico de cinco estrellas con grandes promociones durante casi todos los meses del año?

Las ofertas 2x1 y «niños gratis», descuentos fuera de temporada, han sido los reyes del turismo en cruceros. Un crucero de siete días desde Barcelona en los meses de verano en un barco de unas 90.000 toneladas y con capacidad para 2.000 pasajeros costaba en 1998 aproximadamente 1.250 euros (205.000 de las antiguas pesetas. A día de hoy, el precio de un crucero en un barco de 138.000 toneladas y con una capacidad de 3.100 pasajeros se sitúa en torno a los 820 euros. Una diferencia de precio importante, si además tenemos en cuenta la mejora de servicios a bordo y de actividades que permiten al turista sentirse como en una pequeña ciudad sobre el mar. Pensión completa, gimnasios, piscinas, tiendas, pistas de deportes y decenas de formas de entretenimiento que antes se consideraban de lujo y que ahora son una opción vacacional a tener en cuenta entre más consumidores.

Es bien sabido que los cruceros a precios más bajos entrañan costes complementarios para el cliente de los que la naviera obtiene beneficios. Nos referimos a las propinas, el pago de bebidas, compras o actividades extra. La mayoría de las compañías se centran en la guerra por ofrecer el billete más barato, pero tenemos que ser conscientes de que nos saldrá caro si una vez embarcados vamos a pagar el doble.

No se preocupe, pues encontrar una buena oferta para viajar en un crucero no supone necesariamente tener que pagar más dentro del barco, pues las navieras también han optado por asumir una reducción de costes al más puro estilo low cost: planificar las rutas con hasta dos años de antelación para pactar los precios del combustible y conseguir reducciones por la cantidad acordada; optar por trayectos más cortos en los que se va más despacio y se consume menos; reducir los salarios del personal de a bordo, que prácticamente se ganará el sueldo gracias a las propinas obligatorias; o aprovecharse de la fuerte concentración de compañías del sector. Nos llama la atención esta última opción al descubrir que, pese a la cantidad de empresas cruceristicas, la mayoría de ellas se agrupan en tres únicas compañías que dirigen todo el cotarro. No es lo mismo negociar una rebaja de precios con tus proveedores si tienes un solo barco que si tienes ochenta y cinco y más de ocho millones de pasajeros al año. Con estas cifras cualquier proveedor estará dispuesto a hacer importantes descuentos a cualquiera de esas tres grandes compañías con tal de trabajar para ellas. Y esos descuentos repercutirán en el precio que nosotros pagaremos al final.

Las deseadas vacaciones de ensueño

Poder dormir en una habitación con vistas al mar en las islas Maldivas, en una suite de 88 metros cuadrados que parece formar parte de la profundidad del océano y con acceso directo a una playa paradisiaca de cuatro kilometros ¿es o no todo un placer?

El lowxury también ha llegado a los hoteles más lujosos que tenían precios desorbitados pero que actualmente lanzan ofertas exclusivas aptas para casi todos los bolsillos. Con paquetes vacacionales de lo más completos, el turismo lowxury llega a su máximo apogeo gracias a los clubes de venta privada de internet. La exclusividad de veranear en paraísos como las islas Seychelles o pasar una noche en una suite parisina, con descuentos de hasta el 70 %, hace más atractivos todavía esos escenarios.

Webs como Voyage Prive o Club Santa Mónica ofertan semanalmente a sus socios destinos de lujo a precios más accesibles. Playa, montaña, paradores, hoteles rurales y viajes de ensueño, todos tienen un factor común: una rebaja de más del 25 % en alojamientos de alta categoría.

La habitación de las islas Maldivas costaría en torno a los 4.000 euros, pero mediante las ofertas de los clubes de viajes es posible alojarse en una de estas suites por 2.000 y con vuelo incluido. La oferta está vigente solo durante tres o cuatro días, pero la amplitud de fechas para viajar abarca hasta seis meses y las promociones con características similares son prácticamente semanales. No sé a usted, pero a nosotras nos dan ganas de ahorrar un poco, coger la maleta e irnos directas a las Maldivas.

El turismo de lujo llama tanto la atención de los viajeros que las ofertas se han multiplicado y han surgido curiosas técnicas de venta. Imagínese pujar por alojarse en una suite en pleno Manhattan por menos de 100 euros. Pues si tiene suerte y anda avispado, es posible. Se trata de páginas de subastas sin precio de salida donde el mejor postor conseguirá el alojamiento más exclusivo al menor precio.

Las fórmulas para conseguir una oferta de calidad por menos dinero son variadas, pero lo importante es la satisfacción final del cliente. Al fin y al cabo, darse un lujo de vez en cuando no va en contra de la filosofía low cost, siempre y cuando la suya sea una decisión inteligente.

Delicias para paladares exquisitos

Una deliciosa comida de 145 euros puede atragantársele si acaba de descubrir su precio. Pero si para ese mismo menú se ofrece un descuento de más del 50 % y le cuesta 60, la cosa cambia. Precios por las nubes para degustar manjares que parecen caídos del cielo pero que gracias al lowxury se hacen un poco más terrenales.

Seguro que en los últimos años ha escuchado hablar de los nuevos menús gourmet de bajo coste que invaden las cocinas de los restaurantes más lujosos. Con variaciones en los platos, pero siempre manteniendo la categoría de alta cocina, la restauración de lujo se suma al lowxury para acercarse a un comensal con menos poder adquisitivo pero no por ello menos exquisito.

El precio de esos menús sigue manteniéndose por encima del de una comida en un restaurante normalito, si bien muy por debajo de su precio original.

Además de este tipo de ofertas gourmet, las webs de descuentos e incluso algunas páginas especializadas en reservas en restaurantes han querido dar un protagonismo especial a los locales de alta categoría. Arroz con bogavante para dos, cata de vinos de Rioja, menús degustación de cocina de autor o escapadas gastronómicas han surgido entre las ofertas de esas páginas.

Hay que remarcar que en el mundo del lujo el low cost es un pequeño intruso que se ha colado a través de ofertas y promociones para saciar la avaricia de las grandes empresas con ganas de aumentar su clientela. Aprovechémoslo. Como consumidoras inteligentes que nos consideramos, hemos disfrutado de unas vacaciones de ensueño en Jamaica con una oferta de más del 60 % y nos hemos comprado unos zapatos Jimmy Choo de la colección H&M. Ahí está la fuerza del consumidor low cost: con lujos o sin ellos, siempre decidirá cómo y en qué invierte su dinero. Solo de esa forma habremos realizado una buena compra de «alto standing». Nosotras ya la hemos hecho.

Guía práctica: ¿Dónde se encuentra el lowxury?

- **Lujo para todos.** Casi todo lo que antes era exclusivo para las altas esferas ahora se democratiza. Pero cuidado, que sea lujo más accesible no significa que sea barato.
- **Vacaciones de ensueño.** Desde vuelos en primera clase más asequibles hasta subastas por las mejores habitaciones de hotel del mundo. Si busca bien, podrá viajar con un importante descuento a los parajes más exóticos.
- **Colecciones para llegar a más bolsillos.** Las grandes firmas de moda o de estética lanzan colecciones básicas para las clases medias.
- **Retoques dignos de famosos.** La belleza se ha popularizado, y todo el mundo quiere tratamientos propios de las grandes estrellas para estar estupendos pero pagando mucho menos.
- **Suculentos descuentos.** Chefs de alta categoría cocinan para casi cualquier paladar.

Segunda parte

Capítulo 5
Entresijos low cost

Billetes de avión a 10 euros, ropa de firma con descuentos del 70 % y marcas blancas con una calidad indiscutible. Pero ¿cómo es posible?

Hasta el momento hemos intentado delinear el mapa de las compañías low cost abarcando los principales mercados en los que aparece. Pero lo prometido es deuda, así que en los siguientes capítulos tenemos un único objetivo: mostrarle todo lo que ofrece y esconde el low cost. Con ejemplos concretos, intentaremos descubrir cuáles son las diferencias básicas entre las compañías de bajo coste y las tradicionales para que una vez que decida qué es lo que quiere y a qué precio, usted tenga claro dónde comprarlo.

1. El vuelo perfecto

Nos disponemos a comprar un billete de avión por internet. Una de nosotras optará por una compañía de bajo coste y la otra por una tradicional.

60 DÍAS ANTES...

Utilizando la red como plataforma de compra, hemos decidido elegir un vuelo de Madrid a Milán durante un fin de semana en septiembre. Como buenas compradoras low cost que somos, pecamos de previsoras y hacemos la reserva con tres meses de antelación, un tiempo que consideramos suficiente para encontrar una buena oferta. Pese a que los vuelos en fin de semana tienen fama de ser más caros, nuestros compromisos laborales no nos permiten elegir otras fechas, así que optamos por salir un viernes por la mañana desde Madrid y volver el domingo siguiente por la tarde.

Para el vuelo low cost elegimos Ryanair, una de las compañías con tarifas más bajas del mercado y que ejemplifica a la perfección el modelo de ahorro de costes «cueste lo que cueste». Con todos los requisitos que hemos planteado anteriormente, encontramos nuestro vuelo por un importe total —con tasas incluidas— de 39,99 euros. No hay duda, queremos comprarlo.

Desde el momento en el que aceptamos los vuelos en la web de Ryanair comienza el festival de precios. El más mínimo descuido puede suponer un incremento en la tarifa final de hasta 100 euros, más del doble del precio inicial, pues por defecto es necesario rechazar todas las sugerencias de la aerolínea si no quieres que se apliquen. Poder llevar un equipaje de 15 o 20 kilos supone pagar 30 o 50 euros más. Embarcar de los primeros para evitar colas y poder elegir asiento, otros 10 euros. Un seguro básico de viaje para posibles anulaciones, retrasos o problemas en el vuelo, otros 15,50. Suma y sigue. Conseguimos rechazar todas esas propuestas porque viajaremos solo con el equipaje de mano (10 kilos máximo), iremos temprano para guardar cola y elegir asiento, y no contrataremos seguro de vuelo. Al más puro estilo low cost.

Cuando ya parece que el billete es nuestro, la aerolínea vuelve a bombardearnos con nuevas opciones. Ryanair nos propondrá comprar su propia maleta homologada, solicitar un trato preferente en caso de discapacidad, volar con material deportivo o con accesorios para bebés o alquilar un coche. Por supuesto, obviamos todas esas propuestas.

Llega el último paso, estamos a un clic de comprar el billete, pero antes tendremos que abonar 6 euros más por cada trayecto ya que pagamos con tarjeta y casi todas tienen recargo. De todos modos, es un gasto con el que ya contábamos, pues llevamos muchos años comprando en esta low cost. Definitivamente y tras sortear todo tipo de pagos extra, tenemos billete con Ryanair por 51,99 euros.

La segunda opción es buscar en Iberia. Elegimos las mismas fechas, similares horarios y el mismo destino, y compramos con la misma antelación. Este nuevo vuelo tiene un coste de 187,94 euros. El precio del vuelo en Iberia es un 72 % más caro que en Ryanair, pero también decidimos comprar. La cantidad de pagos adicionales que hemos evitado en la low cost se reducen en la web de Iberia a la posibilidad de contratar un seguro de vuelo por 14,25 euros, que subiría el precio de nuestro billete hasta 202,17 euros. Ya está decidido, compramos el billete que, con tasas y sin seguro, nos ha salido por el precio que vimos al principio, 187,94 euros.

7 DÍAS ANTES...

A una semana de embarcar camino a Milán, Ryanair nos envía un email con las restricciones en nuestro vuelo, sobre todo de equipaje, y la necesidad de facturar online. No nos queda otra, hay que meter en una maleta de reducidas dimensiones y un peso máximo de 10 kilos todo lo que queramos transportar o habrá que pagar un mínimo de 40 euros por facturarla o 20 euros por cada kilo de más. Si se nos olvida imprimir el billete desde casa, eso nos costará otros 40 euros.

Con Iberia también existe la posibilidad de facturar desde casa, pero no ha de cundir el pánico si se nos olvida ya que también puede hacerse en el aeropuerto. El peso máximo de equipaje por persona es de 23 kilos, de sobra para un viaje de tres días.

DÍA 0

El vuelo de Ryanair sale a las 06.00 de la mañana, por lo que a las 05.00, como muy tarde, hay que estar en el aeropuerto. Sobre todo si tenemos en cuenta que los asientos no están numerados y ser el último en subir puede suponer sentarse solo, en caso de ir con acompañante, o casi en el ala del avión. Con la tarjeta de embarque impresa, la maleta perfectamente medida y pesada y un solo bulto (el bolso debe ir dentro de la maleta), todo está en orden para poder embarcar.

El avión en el que volamos es un Boeing con capacidad para 189 pasajeros. No hay mucho espacio entre los asientos ni algunos servicios habituales como la prensa del día, pero por el precio que hemos pagado no esperábamos más. Y si queremos disfrutar de estos extras, los tendremos que pagar aparte. El vuelo de Ryanair se convierte en una verdadera tienda: periódicos, bebidas calientes, bebidas frías, algo para picar, algo para comer, lotería, venta a bordo... Intentar dormir en uno de esos vuelos se convierte en todo un reto, pues el anuncio por megafonía de cada una de las ventas es una constante.

Nuestra aventura acaba en el aeropuerto de Milán Bérgamo, una base secundaria situada a unos 45 kilómetros de la ciudad desde donde tendremos que coger un autobús contratado por la aerolínea que nos dejará en el centro de Milán en 60 minutos.

Pero no se confunda: el precio del bus no está incluido en el billete, por lo que habrá que pagar 10 euros (15 si es de ida y vuelta).

El trayecto en Iberia nos hace madrugar un poco menos. Sale a las 9.05 de la mañana, por lo que con la tarjeta de embarque preparada y sin tener que facturar equipaje podremos llegar a las 08.00.

En esta ocasión, volamos en un AirBus con capacidad para entre 132 y 153 pasajeros, lo que permite un poco más de espacio entre asientos que los 189 del Boeing de Ryanair. Pero en cuestión de atenciones a bordo la diferencia no es tan grande; se impone el pago por cualquier servicio extra, aunque el vuelo de Iberia no parezca un mercadillo.

El aterrizaje se realiza en el aeropuerto principal de Milán, Malpensa, desde donde también hay que coger un autobús, un tren o taxi que nos acercará, por menos de 6 euros y en 40 minutos, al centro de la ciudad.

Lo hemos conseguido, las dos hemos llegado a nuestro destino. Una ha pagado 64 euros y la otra casi 200. Pero esta no ha sido la única diferencia. Las condiciones de vuelo de una y otra compañía han marcado nuestros viajes y el precio de nuestros billetes convirtiendo uno de ellos en low cost. ¿Cómo es posible que Ryanair pueda volar tan barato? Vamos a verlo.

Desmontando una aerolínea low cost

Que a Ryanair le salga rentable poner sus billetes un 72 % más baratos que otra compañía aérea evidentemente debe tener algún secreto.

Elegimos como ejemplo a la compañía irlandesa porque representa a la perfección la filosofía low cost. La aerolínea consigue un máximo ahorro de costes para ofrecer los precios más bajos del mercado sin obviar un aspecto clave en el transporte aéreo: la seguridad. Pese a que en ocasiones se hayan puesto en tela de juicio las prácticas de vuelo de estas compañías, han intentado cumplir con todas las exigencias necesarias para volar, ganándose poco a poco la confianza del consumidor.

Puede parecerle una broma, pero hemos llegado a volar con Ryanair por 1 céntimo el trayecto, con un precio final de 2 euros con tasas incluidas. Con esta tarifa, a más de uno le costará creer que pueda llegar sano y salvo a su destino.

Seguridad aparte, pasemos a ver cómo y cuánto ahorra una aerolínea recortando servicios. El caso de Ryanair es el extremo, pero nos servirá a la perfección para ver hasta qué punto se puede llevar la estrategia low cost.

Tijeretazo de altos vuelos

¡Cómo se agradecía el servicio de comida y bebida a bordo o unos simples sándwiches en los vuelos más cortos! Pero eso forma parte del pasado. Los recortes en las aerolíneas low cost se han ido trasladando a las compañías tradicionales que, inevitablemente, han tenido que copiar algunas de esas técnicas de ahorro. De algunas somos conscientes como consumidores, pero hay otras de las que ni nos habíamos percatado.

Vamos a analizar, una a una, las trece fórmulas principales para ser una perfecta low cost:

1. **El negocio está en la red.** El proceso de ahorro de la compañía comienza desde que reservamos el vuelo. Por una parte, el hecho de efectuar la compra desde la propia página web de la aerolínea permite a esta poder prescindir de oficinas físicas con el personal oportuno o de intermediarios a los que pagar comisiones, como pueden ser las agencias de viajes. Este proceso

supone un mínimo del 6 % de ahorro para sumar a nuestra lista de recortes.

2. Compra anticipada. Las low cost premian a los clientes que compran con mayor anticipo sus vuelos para conseguir flujo de caja y evitar tener que pedir créditos. Nosotras mismas decidimos reservar el viaje a Milán con dos meses de antelación en Ryanair, y así logramos un precio un 50 % más barato que si lo hubiéramos dejado para unos días antes de la partida.

3. Gestiones online. El siguiente punto de ahorro será la facturación desde internet. Por una parte, se recorta en personal, que se reduce al mínimo solo para atender a aquellos pasajeros que no lleven el billete desde casa y necesiten realizar la gestión en el aeropuerto, por supuesto pagando una tasa extra como «castigo». Y por otra, el ahorro es también significativo en papel y en los procesos de impresión, distribución y envío de las tarjetas de embarque.

4. Con el peso justo. Compañías como Ryanair o EasyJet buscan la mayor ocupación en sus aviones, además con pasajeros con el mínimo peso extra en sus maletas. Esta medida no solo aumenta los beneficios en cuestión de pasajes vendidos, sino en consumo de combustible.

5. Asientos no asignados y con espacio limitado. El avión de Ryanair cuenta con 189 plazas, casi 60 más que el avión de Iberia, y los asientos no están asignados. Puede parecer un hecho irrelevante, pues dar un número a cada pasajero no debe de entrañar mucha dificultad, pero para las aerolíneas supone un gasto más en cuanto a invertir en procesos informáticos. Por supuesto, si usted quiere un sitio concreto lo tendrá, pero pagará por ello.

La mayor densidad de asientos y el hecho de que no estén numerados puede llegar a suponer un ahorro de costes de hasta el 16 %.

6. Un solo tipo de avión. Por otra parte, Ryanair emplea un único modelo de avión, concretamente un Boeing 737-800. Para que se haga una idea de la estrategia de ahorro de la compañía irlandesa, le contaremos de dónde procede esa flota. Las low cost aprovecharon una agradable rebaja en 2005 cuando adquirieron entre Ryanair, EasyJet, Germanwings, Air Berlin y Fly BE un total de 330 aviones a Boeing. Solo Ryanair se hizo con 70 de ellos por un módico precio de 27 millones de dólares, cuando en el mercado costaban 40 millones. La compra no solo le salió rentable por la rebaja en sí sino también por cómo equipó sus nuevos aviones, que no llevan persianas en las ventanillas, ni asientos reclinables, ni bolsillos traseros en los asientos. Estos detalles sumaban otros tantos millones de dólares más a su lista de ahorros.

7. Poca inversión en cualificar al personal. La uniformidad en su flota permite reducir costes en el mantenimiento de los aviones y en la formación tanto de su tripulación como incluso del staff técnico, que adquieren idénticos estándares de cualificación para todos los vuelos. Además, la aerolínea irlandesa, en concreto, no se hace cargo del aprendizaje de su plantilla y es la propia tripulación la que tiene que financiarse sus certificados.

8. Reducción del número de trabajadores. Hablando de personal, hay que decir que las low cost tampoco invierten mucho en este aspecto. El número de trabajadores se limita al eliminar casi por completo los servicios de facturación y llevando casi todos los procesos a internet. El personal propio de la aerolínea en el aeropuerto se reduce a los servicios de ventanilla, oficinas o salas de espera que son, cuando menos, inhabituales, pues las escalas en las low cost son prácticamente inexistentes.

9. Externalización. Los servicios técnicos como el mantenimiento y la reparación de los aviones tampoco corren a cuenta de la aerolínea, que contrata compañías especializadas que sean capaces de llevar a cabo esos trabajos con una mejor relación efectividad-gasto y evitando así pagar costes fijos. Externalizar estos servicios y a gran parte del personal de tierra permite a las compañías abandonar casi por completo sus instalaciones en los aeropuertos, llegando a ahorrarse una importante suma de costes de mantenimiento.

10. Los aviones al 100 %. La mayoría de estas aerolíneas disponen de uno o dos modelos de avión que hacen trayectos punto a punto, reduciendo el tiempo de escalas al mínimo permitido y permaneciendo más tiempo en el aire, para poder rentabilizar al máximo cada uno de ellos. En el vuelo que realizábamos a Milán el avión de Ryanair despegaba a las seis de la mañana y el de vuelta salía a las once de la noche. Durante todo ese período, el aparato se mantiene prácticamente la mitad del tiempo en el aire; así se saca el máximo partido posible a la flota.

11. Todos los extras se pagan. Durante el vuelo, los servicios a bordo se limitan por completo, por no decir que son inexistentes. Ni prensa, ni comida, ni bebida. De nuevo, si lo quiere lo pagará a parte, junto con los servicios de venta a bordo que la compañía ofrece con productos libres de impuestos.

12. Llega a aeropuertos secundarios. Al igual que en nuestro vuelo, la mayoría de las low cost operan en aeropuertos no principales. En nuestro caso llegamos a Bérgamo. Este aeropuerto es civil desde 1970, pero hasta la llegada de Ryanair en 2003 no se le consideró ni mucho menos uno de los principales aeropuertos de Milán. Actualmente, gracias a las compañías low cost se considera uno de los aeropuertos más importantes de la ciudad italiana, aunque sigue siendo secundario y eso es, precisamente, lo que beneficia a nuestra aerolínea. Unas tasas mucho más bajas por operar e incluso algún que otro beneficio por el mero hecho de convertir a Bérgamo en un nuevo destino turístico cerca de Milán, permiten a Ryanair trabajar sin competencias en las cercanías de la ciudad de la moda italiana y con unos costes mucho menores que si lo hiciera desde Malpensa, el aeropuerto principal de Milán.

13. Si no funciona, se elimina. Si Bérgamo se mantiene como aeropuerto de destino de Ryanair es por el relativo éxito de pasajeros que obtiene. Y es que si por algo se caracterizan estas compañías es por el uso del método «ensayo y error». Si se instalan en un nuevo aeropuerto y no funciona en cuanto a flujo de pasajeros, el cierre de dicha ruta se efectúa casi de inmediato. No se pueden permitir ni la más mínima pérdida.

La suma de todos estos recortes supone un total aproximado de un 57 % de ahorro. Lo que se traduce, para los consumidores, en volar por menos de la mitad de precio que como lo harían en una aerolínea tradicional. Aunque la forma de explotar al límite sus aviones, a su tripulación y sus técnicas de vuelo hayan sido objeto de denuncias y críticas constantes, no podemos olvidar que la estrategia de las compañías aéreas de bajo coste ha sido el punto de origen de esta filosofía de vida, la filosofía low cost.

2. Descuentos ¿a qué precio?

Parece evidente que vender productos por debajo de su verdadero precio no puede ser rentable para ninguna compañía, ¿verdad? Entonces, ¿cómo se explica que existan outlets y páginas web de descuentos que permiten al consumidor adquirir artículos por un 70 % menos de su precio original? ¿Chollo o trampa? No se preocupe, intentaremos desvelar cómo funcionan estas webs para que cada compra que haga en ellas sea una buena adquisición.

Para empezar, hemos de recordarle que estas páginas de descuentos no son un invento reciente. Lo cierto es que los cupones y los outlets llevan funcionando desde hace mucho tiempo.

Fue a finales del siglo XIX cuando el público descubrió esta nueva fórmula de ventas de la mano de Coca-Cola, que lanzó los primeros cupones con el objetivo de fidelizar y atraer clientes. Hablamos de los descuentos recortables en los periódicos para conseguir una vajilla más barata, de las chequeras que llegan a su buzón de correo con diferentes ofertas en varios negocios (para entradas al zoo, menú de hamburguesa con helado de regalo...) o incluso del descuento del 10 % en su próxima compra en determinado supermercado.

De una forma u otra el objetivo de todas esas estrategias es el mismo: conseguir más ventas sin perder rentabilidad.

Está claro que como consumidores nos gustan los descuentos. Basándose en esta filosofía nacieron hace ya algunos años webs especializadas en ofrecer exclusivamente esas ofertas: un 5 % de descuento en cierta cadena de restaurantes, un 7 % menos en compras en un determinado comercio, entradas de cine al precio del día del espectador... y solo por imprimir desde casa un folio con la oferta.

El modelo de negocio de los descuentos ha seguido evolucionando y ha cosechado un increíble éxito gracias a un ingrediente más: la compra colectiva. Para un restaurante, lanzar un descuento del 5 % en una web de cupones es muy ventajoso. Por una parte porque tiene publicidad gratuita y por otra porque consigue atraer a más clientes solo con rebajar un poco sus servicios. Y esa rebaja no le supone ninguna pérdida, pues se ve recompensada por los nuevos comensales que acudan atraídos por el descuento. Pero cuando el consumidor busca una rebaja mayor la cosa se complica. Ese mismo restaurante no puede permitirse el lujo de lanzar una oferta del 50 % en su menú para que acuda un número incierto de clientes. Corre el riesgo de perder dinero, por lo que necesita algo más seguro. Aquí entra en juego el poder de la compra colectiva, pilar básico de las nuevas webs de descuento como Groupon, Groupalia, Offerum, Letsbonus y otras.

Para que a nuestro empresario le salga rentable rebajar sus precios a la mitad necesita que su oferta se extienda por lo menos a cien personas, las cuales acudirán a cenar atraídas por el descuento, pero también se convertirán en posibles futuros clientes. Así es precisamente como funcionan las webs de venta colectiva. Ofrecen descuentos muy agresivos, pero siempre y cuando se complete un cupo mínimo de personas que contraten la promoción.

Cuestión de confianza

Hasta el momento parece todo muy fácil, pero lo que realmente hace que este tipo de páginas web funcionen es el comportamiento del consumidor. Su confianza en la oferta y su actitud posterior para con el comercio son en verdad el motor de este tipo de consumo.

Un ejemplo evidente es Groupon. En la era de las empresas punto.com ya hubo un amago por dar salida a este tipo de negocios que fomentaban las ventas online con descuentos muy agresivos. Pero la falta de confianza del consumidor a realizar pagos a través de internet abocó estos proyectos al fracaso. Volver a ganarse la confianza de los internautas ha sido cuestión de tiempo, suerte y buenas estrategias como la de CityDeal, que fue absorbida por Groupon. A fin de calar hondo entre los internautas, ideó el lanzamiento de una primera oferta que dejara totalmente boquiabiertos a los consumidores, una compra prácticamente imposible de rechazar. Había que buscar algo muy reducido de precio y que a casi todo el mundo gustara. La idea se transformó en la campaña con más éxito de la empresa: entradas de cine a un euro. La noticia de poder comprar entradas por semejante precio se extendió como la espuma por internet, donde por un solo euro el consumidor estaba completamente dispuesto a arriesgar su compra. Si salía bien, podías ir al cine pagando un precio casi simbólico; si salía mal, la pérdida de un euro era insignificante.

La cosa salió bien, ¡y tanto que salió bien!, sobre todo para CityDeal. A esa oferta se subscribieron miles de personas que, sin darse cuenta, estaban entrando a formar parte de la comunidad de socios de la compañía. A partir de ese día comenzarían a recibir ofertas diarias con un plan nuevo con descuentos irresistibles. Fue un triunfo indiscutible que se llevó a cabo utilizando una de las estrategias de marketing más antiguas de la sociedad de consumo: el boca a oreja.

Esta promoción dio lugar a muchas otras que también cosecharon un éxito relativo. Tratamientos de spa a 8 euros, cenas por menos de 10, limpiezas dentales por 5 euros u hoteles por 15. Eran precios muy bajos para planes muy atractivos en los que la mayoría de nosotras caímos, aunque al final ni siquiera los utilizáramos.

La página había conseguido lo que buscaba. Echó la caña y picaron muchos peces. Captada la atención del cliente, que pudo ir al cine por un euro o que pasó una hora en un circuito de spa por 8, ya habían logrado ganarse la confianza suficiente como para dar el salto a actividades con importes mucho mayores, los actuales tratamientos de belleza por 150 euros en lugar de 800 o los viajes por 100 euros en vez de 300. Las ofertas siguen siendo importantes, pero el precio final que desembolsa el cliente también es mucho más alto.

Fuera como fuese, la estrategia para captar clientela de Groupon fue clara y eficaz. De esa forma allanó el camino a las decenas de compañías que ahora se dedican a la venta colectiva de cupones en internet. Pero el consumidor ha contribuido al éxito de estas empresas por otro motivo más, gracias al inevitable sentimiento de deseo que genera en nosotros el tener límite de tiempo en una compra.

No se asuste, que no es ninguna enfermedad, sino únicamente una estrategia cada vez más habitual para hacerle sentir que sus compras son todo un triunfo, lo sean o no. Como ya hemos comentado, una compañía que ofrece su servicio con un 70 % de ahorro además de ser un gran descuento que debe asumir la empresa también puede suponer la pérdida de prestigio para esta. Si un centro de belleza cobra habitualmente los masajes a 30 euros, ofrecerlos a 8 puede restar categoría a su servicio o una reacción distinta a la que buscaba en el consumidor, que llegará a pensar que pagar los 30 euros de antes era un atraco a mano armada.

Para evitar esta posible pérdida de su estatus como centro de estética de cierta categoría y para tener éxito con esta estrategia es necesario recurrir a un ingrediente más en nuestra receta: el tiempo. El límite de horas durante las cuales tiene validez la oferta invita a pensar a los clientes que el artículo que se les vende es algo tan exclusivo que la compañía solo puede permitirse esa rebaja de forma temporal. Pero sobre este aspecto indagaremos un poco más adelante.

¿Es una oferta real?

Cada mañana en nuestro buzón de correo entran una media de veinte actividades con un 60 % de descuento. Desde entradas para algún espectáculo hasta implantes dentales. De entre esas veinte ofertas casi seguro que hay alguna que nos interese, pero analicemos la forma en la que vamos a efectuar la compra.

Estos días estamos buscando un plan perfecto para el fin de semana. Por ejemplo, una buena comida y una actividad relajante. Encontramos en Groupalia una parrillada de gambones para dos y botella de albariño, y también un circuito spa con masaje balinés. Para el primer plan el descuento es del 63 % y en lugar de 41,43 euros nos saldrá por 15. La oferta dura solo unas horas y concretamente nos quedan cinco para tomar la decisión. El descuento es bueno y tenemos tres meses para gastarlo por lo que, sin tan siquiera buscar acompañante, lo compramos. Con el cheque en la mano, podemos organizar la parrillada de gambones con albariño.

Nos interesamos por el restaurante al que vamos a acudir. En la página web del local no encontramos la parrillada de gambones por ninguna parte, ni en la carta, ni en los menús, ni entre las sugerencias del chef.

Veamos qué ocurre con nuestro segundo plan, el circuito spa y el masaje balinés. Está valorado en 80 euros, pero nosotras lo vamos a comprar por 29. Un clic y listo. Tenemos seis meses para canjear nuestro cupón, por lo que compramos casi sin pensar... ¡En todo ese tiempo, seguro que sacamos un hueco! Volvemos a buscar por internet el hotel donde tendrá lugar nuestro circuito, pero nos es imposible encontrar un servicio de spa y masaje que no vaya unido a la reserva de una habitación, por lo que de nuevo no podemos comparar precios.

En ninguna de las dos ofertas que hemos escogido al azar encontramos una referencia de precio que certifique que el descuento sea del 60 %, pues ninguno de los dos lugares ofrecen esos servicios de forma habitual. Aunque pueda resultar sospechoso, pues no disponemos de ningún recurso que nos permita verificar que la rebaja es real, todo tiene su explicación, ya que forma parte de la perfecta estrategia de estos descuentos.

Tanto en el restaurante como en el hotel, antes de lanzar su oferta a Groupalia han tenido que plantearse su objetivo. Conseguir más clientes, aumentar la facturación, liquidar un producto, lograr publicitarse... Una vez definido su objetivo, cada negocio se pone en contacto con la página web para ofrecer su propuesta de campaña. En este caso, el restaurante con sus gambones a la plancha y albariño, y el hotel con su spa y masaje. Aunque la publicación del anuncio es gratuita, los beneficios que obtengan en cada uno de los locales habrán de repartirse entre ellos y la web, por lo que es importante calcular bien los costes. Además de rebajar su comida un 60 %, un máximo del 50 % de los beneficios irán a parar a Groupalia, así que conviene tener en cuenta la rentabilidad del negocio. Tanto para el restaurante como para el hotel el objetivo parece claro: captar posibles clientes y fidelizarlos.

Si examinamos la oferta del restaurante, vemos como una parrillada de gambones con vino para dos es solo el gancho perfecto para comenzar una buena cena romántica. Los comensales examinarán la carta y casi sin dudar harán alguna que otra petición. Objetivo cumplido: he rebajado uno de mis platos y mi vino, pero a cambio consigo dos clientes que piden algo más de mi carta y conocen un nuevo restaurante. Si todo va bien, volverán.

En el caso del hotel, el resultado es similar. Tras un circuito maravilloso de spa y un masaje oriental, el cliente ha conocido sus instalaciones, y es probable que cuente con ese hotel o cadena hotelera en el caso de buscar alojamiento.

Tanto el restaurante como el hotel han jugado bien sus cartas y, a buen seguro, han aumentado su clientela gracias a la oferta publicada en una de esas web de descuentos. Pero no siempre ocurre así. Si en el primer local la oferta hubiera estado incluida en la carta, cualquier cliente que se sentara allí y viera la diferencia de precios se asustaría al descubrir que las tarifas del restaurante son tan elevadas que solo podría volver en el caso de conseguir otro cupón con un descuento similar. Si el hotel hubiera ofertado una de sus habitaciones en lugar del descuento por una sesión de spa, el establecimiento no se estaría distinguiendo del resto de las ofertas hoteleras de cara al cliente. Al atraer al usuario con un original masaje oriental, el consumidor que acuda a su sesión descubrirá un posible alojamiento donde además de encontrar cama puede disfrutar de una serie de servicios exclusivos para relajarse.

Entre tanta oferta, descuento y cupón es fácil perderse y acabar comprando simplemente llevados por esa sensación de oportunidad única, por el temor de que el tiempo se agote y la ganga desaparezca. Pero si se fija, los descuentos que ofrecen estas webs suelen ser, casi siempre, los mismos. Así que relájese, tome aire y piénselo dos veces, que nos consta que una gran parte de los cupones que se adquieren en esas páginas finalmente no se canjean si su valor es inferior a 20 euros. Una compra poco inteligente.

VESTIDAS DE OTRA TEMPORADA, ¿Y QUÉ?

Si hay otro tipo de ventas en internet que en los últimos años han conseguido un éxito imparable, han sido los outlets o los clubes de venta privada. Lo que comenzó con páginas web que ponían a la venta ropa de marca de temporadas pasadas para todos sus socios ha ido derivando hacia un gran bazar online en el que se puede encontrar casi cualquier cosa: automóviles, viajes e, incluso, apartamentos en la playa. Eso sí, todo con descuentos de lo más atractivos.

La relación entre este tipo de negocios y el consumidor funciona a la perfección. Los fabricantes, distribuidores o tiendas acumulan mercancía que en cada cambio de colección pierde valor. Unas gafas de la marca Ray-Ban del año pasado prácticamente no valen nada para la firma en esta temporada. Es dinero con el que ya no cuentan entre sus beneficios. Pero no es así para el consumidor, al que se le presenta una oportunidad para acceder a su marca favorita con un precio al alcance de su economía.

Aunque la legislación actual prohíbe la venta de productos por debajo de su coste si no es época de rebajas, al tratarse de un artículo de temporadas pasadas sí que puede liquidarse en esos centros. El problema surge cuando la marca ve en el outlet un nuevo canal de venta y decide diseñar mercancía en exclusiva para este tipo de negocio. En esta ocasión, además de actuar fuera del marco legal, la imagen de la firma puede acabar muy dañada por poner a la venta productos baratos sin hacer de esa compra una ocasión excepcional para el cliente.

Para evitar esta pérdida de imagen entran en acción los llamado clubes de venta privada. Un buen ejemplo puede ser El Corte Inglés, que además de contar con un canal de venta tradicional —sus tiendas— también tiene su propio club online, Primeriti.

El final de una temporada supone para las grandes superficies tener que deshacerse de muchísimos artículos que no han conseguido vender. Campañas como «Límite 48 horas» son el reclamo perfecto para atraer la atención del cliente con descuentos de un 20 o un 30 %. Durante ese tiempo, el objetivo será liquidar el máximo posible de mercancía. Cada producto que no se venda irá perdiendo cada vez más valor, y por lo tanto será puesto a la venta cada vez más barato.

Si el artículo llega a tocar ese nivel, prácticamente puede calcularse como una pérdida para el fabricante. Pero con los outlets y los clubes de venta privada cabe la posibilidad de seguir rascando unos euros que sumar a los ingresos en la cuenta de resultados. En el caso de El Corte Inglés, con la apertura de su propio outlet online resulta muy sencillo. Sus socios reciben una alerta vía email para avisarles del comienzo de las ventas de determinada marca. Durante tres o cuatro días toda la ropa de esa firma podrá ser adquirida con precios de hasta un 70 % de descuento. No hay fallo. Desde el primer día de ventas, el stock se va agotando por segundos, pues conseguir ropa de marca a precios tan rebajados es siempre una ganga para el consumidor. Por su parte, El Corte Inglés ha conseguido dar salida a todas esas prendas que ya no contaba con vender, logrando un beneficio extra que compartirá con la firma.

Exactamente eso es lo que ocurre en el resto de los clubes de venta privada de internet. Tanto Privalia como Vente Privée, por ejemplo, llegan a acuerdos con las grandes marcas para poner a la venta su stock a precios de saldo. La tentación puede ser excusa de sobra para sentarse frente al ordenador a las siete de la mañana listo para clicar en «Añadir a la cesta de la compra».

3. Marcas de lo más blancas

Contéstenos a estas preguntas: ¿Ha probado la leche marca Dia o los yogures de Carrefour Discount? ¿Y le han parecido buenos? En la mayoría de los casos, las marcas de distribuidor no tienen nada que envidiar a las firmas de fabricante. Su precio es más reducido porque no se adornan con bonitos rótulos ni tienen detrás la publicidad de una gran compañía, pero le ofrecerán una calidad similar y podrá llenar su carrito de la compra un poco más por el mismo dinero.

Con esta filosofía, uno de los supermercados que mejor ha conseguido calar entre los compradores españoles ha sido Mercadona, que con su modelo de máxima calidad se ha ido adaptando a las necesidades del consumo con un objetivo claro: el precio final de la compra que realiza el cliente es más bajo y los productos que adquiere son todos de buena calidad.

Para hablar de marcas genéricas casi nos vemos obligadas a tomar a Mercadona como ejemplo, pues Hacendado se ha convertido en la firma genérica por antonomasia. La teoría de la compañía es clara: lo importante no es la marca, sino la perfecta relación calidad/precio.

Pero si presumen de la buena calidad de sus productos y venden a precios tan bajos, ¿cómo obtienen beneficios? Vamos a analizar algunos de los productos de nuestra cesta de la compra en Mercadona.

Llevamos una pasta de dientes, unas galletas y una crema de manos sin caja de cartón, un paquete de cereales de un tamaño mayor que los de marca, fruta a granel y una bolsa de comida para perros de veinte kilos. También zumo y té, de los que solo hemos podido elegir entre tres marcas diferentes. ¿Coincidencia? No, estrategia.

Las grandes superficies de alimentación cumplen con ciertas pautas que certifican su apuesta por reducir costes. Vamos a enumerarlas para que usted pueda identificarlas fácilmente.

1. Menos marcas. ¿Le importa tanto al cliente no poder elegir entre veinticuatro marcas de leche, quince de yogures y cinco de zumos? ¿O es más importante tener poca variedad de producto si los precios son más ajustados? Esta es una de las fórmulas de los supermercados para bajar sus precios. Al tener menos marcas les es más fácil negociar con sus proveedores para comprar más producto a precios más bajos y asegurarles visibilidad en sus estanterías.

Si usted representa a la marca Danone y su socio Dia le propone una compra muy elevada y un sitio privilegiado en su refrigerador cara al público, ¿no estaría dispuesto a ajustar algo sus precios para vender una gran cantidad de unidades y estar a la vista de cualquier cliente?

2. Menos variedad de producto. Además de reducir el número de proveedores, la cadena de supermercados también ahorra limitando el número de artículos que compra al fabricante. Por ejemplo, en nuestro supermercado tenemos cinco tamaños diferentes de comida para perros. La bolsa de veinte kilos y la de cuatro son las únicas que se venden, así que, ¿por qué tener una de dos, otra de siete y otra de diez? Así, será más fácil volver a negociar con nuestro proveedor para conseguir un mejor precio.

3. Ahorro en logística. Con las medidas anteriores también se ahorrará en transporte, pues no es lo mismo llevar a sus supermercados quince tipos diferentes de comida canina de distintas marcas que uno o dos y del mismo fabricante.

Algo parecido ocurre con Aldi. La cadena de supermercados nórdica reduce al máximo su número de referencias apostando por sus propias marcas y pocas más, y transportando la mayoría de ellas desde Alemania. Un camión de Aldi que llega a España viene completamente cargado de productos de lo más variados, por lo que el gasto en el transporte se reduce al mínimo. Imagínese tener que pagar un camión que traiga yogures, otro que traiga bebidas y otro que traiga refrigerados de diferentes destinos. A este recorte de costes en logística se une otra estrategia clara de la cadena alemana: la colocación de los productos en el supermercado. Aunque más que de colocación deberíamos hablar de la ausencia de ella.

Aldi dispone los productos que llegan a sus tiendas prácticamente como si se tratara de un almacén. Conforme los van descargando de los camiones, los mismos empleados los colocan en la tienda en los palés. No hay una clasificación de productos por alturas ni marcas, como ocurre en la mayoría de los supermercados donde, como ya veremos más adelante, cada cosa tiene su espacio concreto con un objetivo claro. Esos chicles a la salida no están ahí porque sí, ni los yogures Danone están siempre en un lugar preferente del refrigerador por casualidad.

4. Producto que no vende, producto que se retira. Conseguir abaratar el precio de los artículos gracias a la mayor optimización de los proveedores o a la colocación de los productos en el supermercado no significa que el género vaya a venderse bien. Por eso mismo, las low cost tienen en cuenta la ley de Darwin: solo sobrevivirán las más fuertes. De entre todas las referencias que tiene Eroski en su tienda, cada cierto tiempo, unas cuantas, las que menos se vendan, saldrán de catálogo. Para tener los precios más ajustados y una buena calidad, solo pueden permanecer en sus estanterías productos con gran demanda, que se ajusten a las necesidades del cliente y, por supuesto, que no supongan pérdidas.

5. La apuesta por lo más básico. Antes nos preguntábamos si realmente le importa al consumidor si la crema de manos se vende sin caja, o si le molesta que solo haya tres marcas de zumos en las estanterías, en lugar de quince. Y la respuesta parece clara: no. Lo que nos lleva a otra pregunta: ¿por qué? Los actuales compradores ya no nos guiamos por la firma, no nos dejamos seducir por marcas con el precio inflado y exigimos productos básicos, que satisfagan nuestras necesidades a un buen precio.

No hace falta que esos artículos tengan un envase o un envoltorio deslumbrante. Esta demanda responde por completo a la filosofía low cost y es esta la doctrina que se aplica en estos supermercados.

Esto ocurre en la venta de frutas y de verduras a granel. El cliente quiere solo dos peras, una manzana y cinco kiwis. ¿Por qué va a tener que llevarse bandejas con seis unidades de cada fruta? Eliminando las bandejas de sus tiendas, estos supermercados satisfacen la necesidad del cliente, que compra justo lo que va a consumir y, además, pueden reducir un 15 % sus precios.

¿QUIÉN FABRICA ESAS MARCAS?

Los tallarines de Carrefour los fabrica Gallo, las pizzas de Dia las elabora Campofrío y los chocolates de Eroski son de Zahor. Si de algo pueden presumir las marcas de distribuidor es de ser productos fabricados por las grandes firmas. Y no es ningún secreto, pues como vemos es algo conocido por los consumidores.

Cada vez son más los usuarios interesados en saber la procedencia de lo que consumen, de modo que se convierten en expertos investigadores. Decenas de páginas en internet han surgido para cubrir esa demanda y facilitan al consumidor el origen de cientos de productos de marcas de distribuidor.

Lo más común es que no aparezca de forma visible el nombre del fabricante. Pero si usted está realmente interesado, identifique el número de registro sanitario. Cada producto está obligado a incluirlo en su envase; por ejemplo, si los yogures de Hacendado los hiciera Yoplait, el número debería coincidir en los dos envasados.

Pero como le comentábamos, esta ardua labor que implica comparar referencias puede limitarse a la búsqueda en internet. El interés de los consumidores por las marcas blancas ha llevado a los usuarios a crear una Wikipedia donde se intenta revelar el fabricante de cada producto de distribuidor. No es fiable por completo, puesto que son los propios consumidores los que se encargan de aportar los datos, pero demuestra una vez más que no somos tontos.

Sin embargo, cada vez hay menos productos de distribuidor que son elaborados por firmas conocidas. Hace unos años, las cadenas de supermercados solían negociar con los fabricantes para que les vendieran un producto más barato que ofrecer como marca genérica en sus tiendas. El creciente éxito de esas enseñas no compensaba a los fabricantes, que veían como estas se vendían cada vez más, perjudicando a sus productos de firma. Recuperemos el ejemplo de Danone para ilustrar esta explicación. Imagine que usted dirige la conocida firma y elabora yogures para Dia dejándoselos a mejor precio por no llevar impreso «Activia». Si Dia cada vez hace pedidos más grandes de estos yogures porque cada vez se venden más, al final Danone estará perjudicándose a sí misma, ya que vende producto sin su marca y, además, más barato.

La fama de los genéricos comenzó a crecer entre los consumidores, y las grandes superficies tuvieron que negociar con los fabricantes. Muchas de las firmas importantes ya no querían seguir elaborando productos para los supermercados por lo que estos últimos se vieron obligados a buscar otras compañías dispuestas a producir sus marcas de distribuidor. De esta manera aparecieron fabricantes que decidieron centrarse solo en la fabricación de marcas genéricas para determinados comercios.

Así, el catálogo de las marcas de distribuidor muestra una variedad de productores que pasa por algunos fabricantes líderes, como el caso de la mayonesa de Alcampo, que es de Ybarra, o el queso de El Corte Inglés, que elabora García Baquero. Hay otras marcas fabricantes no tan conocidas como Suavinex, que fabrica chupetes y biberones, e industrias que se dedican en exclusiva a la elaboración de esos productos para un supermercado concreto, como Senoble, especializada en ultrafrescos que cuenta con una factoría en exclusiva para la elaboración de los congelados de Mercadona.

Para afianzar la confianza del consumidor a la hora de comprar marcas de distribuidor se ha recurrido a los atributos extra. Productos especiales para celiacos, para diabéticos, light, delicatessen o gourmet, que a precios mucho más reducidos que sus similares de marcas de fabricante invitan al consumidor a comprar marcas de distribuidor. Si usted ha confiado toda su vida en la leche Pascual, pasarse a la leche Carrefour Discount puede resultarle un cambio un tanto radical, pero si compra Carrefour Discount con Isoflavonas de soja, sentirá que, pese a ser marca blanca, realiza una buena compra con un «extra» de calidad.

De una forma u otra, el sector de la marca de distribuidor ha logrado imponerse en nuestros carritos de la compra, superando en muchas ocasiones la cantidad de productos de fabricante. Nosotras le animamos a seguir esta práctica siempre que considere que los artículos que elige cuentan con la calidad que busca, pues entre tanto producto de marcas desconocidas se cuelan de vez en cuando algunos con un nivel bastante dudoso. De nuevo, la decisión final está en las manos del consumidor.

¿Marcas blancas o tiendas baratas?

Si decide irse de acampada por primera vez, seguramente pasará antes por Koodza para hacer sus compras. Si necesita una mesita auxiliar para el comedor o una lámpara para su dormitorio, se acercará por Muebles Boom para echar un vistazo. Y si busca algo de ropa básica o ropa interior, Primark puede ser un buen destino.

Hace ya unos años que estos gigantes low cost llegaron a España para cambiar por completo la forma que teníamos de consumir en ciertos sectores. Ofrecen productos básicos, a bajos precios y sin publicidad.

Un ejemplo de una empresa con una verdadera estrategia low cost es Primark. La cadena irlandesa consigue promocionarse de la mejor forma para atrar al cliente por sus precios bajos. Para conseguir esas rebajas distribuye a sus tiendas de gran escala solo las tallas que más se venden para, de este modo, agilizar el proceso de producción; diseña sus propios productos para ahorrar gastos y trabaja directamente con los proveedores, sin intermediarios que encarezcan el precio final de los artículos.

Algo parecido ocurre con Koodza, filial del grupo Oxylane, que, al igual que su prima hermana Decathlon, presume de vender artículos para el deporte a bajo precio. Con las marcas más rentables del grupo, Quechua, Wedze, Kalenji, Tribord, Domyos o Kispta, Koodza llegó a España en 2008 con el objetivo de acercar el deporte a cualquier aficionado dispuesto a practicarlo sin gastarse demasiado. La superficie comercial vende sus propias marcas reduciendo al máximo sus costes y basándose en la idea de ofrecer material deportivo de forma rápida, técnica y económica.

Otro buen ejemplo es Muebles Boom. La empresa vallisoletana lanzó en 2009 una agresiva oferta con muebles por tan solo un euro. Desde armarios hasta camas o sofás, todo por una moneda. En 2011 repitió la estrategia, que de nuevo fue todo un éxito, y recibió una inmejorable acogida por parte de los medios de comunicación y, lo más importante, por parte de los consumidores, que aseguraban estar comprando mobiliario de calidad al mejor precio posible. Esta agresiva campaña ha servido a Muebles Boom para poder promocionarse como «La tienda que vende muebles por un euro». Pero no solo tiene precios bajos en momentos puntuales. Aunque no se vendan tan baratos, la cadena ha optado desde sus inicios por una estrategia de bajos costes mantenida durante todo el año que consiste en un catálogo limitado de productos con diseños básicos. Para reducir todavía más sus artículos, ha optado por desplazarse a internet, donde el ahorro es casi el doble que en las tiendas físicas con determinados muebles que llegan a rebajarse hasta un 60 %. El catálogo de productos se reduce en el entorno online para contar con cuatro o cinco referencias de cada artículo y se añaden extras por los que el cliente deberá pagar, como el transporte, que le sumará 100 euros aproximadamente si realiza un pedido menor a 750 euros.

4. Soy todo oídos

Cuando MÁSMovil recaló en nuestras vidas apenas le dimos un par de años de existencia. Pero demostró que podía competir con los grandes operadores de telecomunicaciones con sus propias armas. Se vende como una low cost y asegura que sus precios son un 50 % más bajos. Y no miente.

Hasta hace relativamente poco tiempo, en España cambiarse de compañía de teléfono era un asunto que tenía más que ver con el deseo de renovar el terminal que con conseguir una tarifa más asequible. Nos guiaba el afán de tener siempre el móvil más avanzado antes que la posibilidad de reducir nuestra factura. Y uno de los motivos de este comportamiento era el escaso número de ofertas en el mercado. Éramos conscientes de que tanto Movistar como Vodafone ofrecían prácticamente lo mismo pero con diferentes nombres.

La telefonía móvil llevaba años bajo el paraguas de tres grandes firmas que disponían de la tecnología y los medios para ofrecernos lo que andábamos buscando. Pero en 2006 aparecieron en escena nuevos actores que apelaron a nuestra lógica. Se centraron en el servicio propio de un operador, sin regalos de nuevos terminales ni otras prestaciones que nada tienen que ver con el uso básico del móvil. De esta manera, podían ofrecer tarifas más baratas vinculadas a un servicio de buena calidad.

Para cambiar de un operador a otro hay que analizar de qué prescinde la low cost para ser más barata y decidir si esos recortes no afectan al servicio que queremos recibir. A continuación veremos cómo consiguen ahorrar estas compañías.

1. Sin redes propias. Las operadoras low cost cuentan con precios más competitivos porque han renunciado a la estructura tradicional de las grandes empresas del sector. Carecen de una red propia de frecuencias y utilizan la cobertura de otras compañías. Además, al no contar con ninguna infraestructura de radio, puesto que las alquilan, tampoco se ven en la necesidad de pagar por el mantenimiento y el personal de las estaciones.

2. Sin regalos. Si quiere un teléfono de última generación a cambio de un contrato de permanencia, una low cost no es su operadora. Estas compañías consiguen reducir gastos al renunciar al uso de esos reclamos. No subvencionan móviles. El último modelo de teléfono que con tan solo 10.000 puntos y 50 euros se consigue con Movistar no se encuentra en el catálogo de Symio. Cuando una compañía usa un móvil como señuelo lo hace con el único objetivo de aumentar su cuota de mercado, porque tiene calculado al detalle el tiempo que tardará ese cliente en pagar el «obsequio» a través de sus facturas. No le están regalando un móvil, sino que se lo cobrarán a plazos, por lo que necesitan un contrato de permanencia que les garantiza que el cliente cumplirá con el pago.

3. Internet para todo. De nuevo la red es el mejor terreno para que se desarrollen las empresas de bajo coste. Sin sede física, se libran de los gastos de alquiler de locales, reducen la plantilla y su estrategia logística es menos compleja.

4. Mejor atención al cliente. Compañías como Pepephone han querido diferenciarse de las tradicionales. Y no solo en cuanto a las tarifas, ya que uno de sus objetivos es ofrecer un servicio de atención al cliente más personalizado. Uno de los fundadores de MÁSMovil nos dijo que, cuando llegó a España, una de las mayores sorpresas que se llevó fue descubrir el mal servicio de atención al cliente al que nos tenían acostumbrados nuestros operadores de toda la vida. Y las cifras le dieron la razón. Según un estudio de la OCU, en 2010 casi el 90 % de los usuarios de móviles eran clientes de las tres grandes compañías del sector, pero su grado de satisfacción estaba muy por debajo de la media europea.

Las grandes como Movistar han basado su estrategia en el uso de los móviles de última generación como reclamo y en los avances en las nuevas tecnologías. Su estructura no es comparable con la de cualquiera de las actuales low cost.

De nuevo, intentar transformar el modelo de negocio de Movistar, Orange o Vodafone en low cost es prácticamente imposible. Estas compañías tienen tarifas más altas y son menos ágiles porque las condiciona su propia estructura. Cumplen con la teoría del metabolismo: cuanto más grande es un cuerpo más lento es su metabolismo, pues el combustible que permite su movimiento debe pasar por más filtros que en un organismo más simple. Un operador low cost puede permitirse ofrecer tarifas más reducidas porque su organización es más práctica, menos intrincada.

Ahora bien, la presión que han ejercido estas compañías virtuales sobre las tradicionales ha sido tan fuerte que se han visto obligadas a bajar sus precios, a adaptar sus tarifas y a lanzar grandes promociones para evitar la fuga de clientes. Pero cuidado, una buena oferta que dura tres meses pero que le obliga a atarse a su operador durante un año puede no resultarle rentable aunque le ofrezcan el teléfono más completo del mercado. Antes de cambiar de compañía, pregúntese qué es lo que busca: ¿llamar barato o un móvil que le sirva para casi todo aunque pague más al mes? A continuación, busque en internet comparadores de precios y seleccione exactamente lo que quiere pagar, sin trucos, trampas ni extras. La telefonía low cost existe.

5. La banca gana

No nos confundamos. Que un banco se defina a sí mismo como low cost no significa que vaya a proporcionarnos la banca ética que anhelamos. El negocio de la banca siempre fue hacer dinero y difícilmente renunciará a él.

La aparición del low cost en nuestro país también revolucionó la vida financiera. Antes de la llegada de ING a España, los usuarios éramos fieles a una única entidad. Solíamos disponer de varias cuentas, de más de dos tarjetas de crédito y de un depósito a doce meses, y todo en el mismo banco. Pero todos esos servicios llevaban consigo comisiones. Hasta que desembarcó la entidad holandesa en tierras españolas.

En 1999, España se convertía en el primer país europeo (tras Holanda) donde se implantaba este modelo de banca. Era un sistema hasta entonces desconocido para los españoles, que les ofrecía otra manera de ahorrar sin la necesidad de atarse al banco. En esta entidad se ofrecían productos con altas remuneraciones, sin comisiones ni letra pequeña, y operaba solo a través de internet o por teléfono.

Cada cierto tiempo, ING lanzaba una promoción diferente en España. Comenzó con la cuenta Naranja, y unos años más tarde sacó la hipoteca Naranja y la cuenta Nómina. Y sus lanzamientos no se produjeron por casualidad. «El banco que hace fresh banking» tenía bastante estudiado a su público y sus condiciones económicas, y lanzaba uno u otro producto dependiendo de la situación.

Entidades como ING han trasladado a la banca algunas de las líneas que definen el concepto del bajo coste. Gracias a esos recortes, entidades como iBanesto, Openbank y Uno-e han sabido emular a la pionera ING en este campo y ofrecen altas remuneraciones en depósitos y cuentas con coste cero para el usuario.

Estos serían los principales puntos de ahorro que permiten la supervivencia de un banco low cost:

1. **Todo a golpe de ratón.** Utilizan internet como la herramienta básica en su negocio.

2. **Centrados en los servicios financieros.** ING nació como su «otro banco». La mejor fórmula que tiene esta entidad para ofrecer sus servicios más baratos y a la vez tener flujo de dinero es la especialización en los productos financieros. Cuando abre un depósito, por ejemplo, sabe que debe tener «inmovilizado» su dinero durante unos meses convenidos por contrato. Ese es el tiempo que utiliza el banco para moverlo e intentar obtener beneficios propios.

3. **Dependiente de otra entidad.** Como estos bancos suelen estar dedicados casi exclusivamente a los productos financieros, sus clientes deben contar con otro banco convencional si quieren realizar otras transacciones o disponer de otros servicios.

En este sector el concepto low cost lo han impulsado los consumidores. Hemos impulsado la creación de un universo bancario competitivo que nos ha permitido abrir un depósito en una sucursal online, tener domiciliada la nómina en nuestra entidad de siempre y utilizar como broker otra firma bancaria que dispone de comisiones más bajas.

Ir a un banco a abrir una cuenta y salir con un depósito de ahorro, un seguro de vida y uno del hogar ya no es necesario porque sabemos lo que queremos invertir y dónde hacerlo. El low cost somos nosotros.

Guía práctica: ¿Dónde está el secreto?

- **Aerolíneas: confórmese con volar.** De lo que cuesta un billete con Iberia a uno con Ryanair hay que reducir muchos costes, que puede que afecten a su viaje.
- **Internet: la mejor compra por impulso**. Las webs de descuentos o los clubes de venta privada harán que se sienta especial al efectuar una compra casi a contrarreloj para adquirir al instante cuanto pueda.
- **Las mejores tácticas para que llene el carrito.** Ofertas de todo tipo para conseguir que usted abandone el supermercado con el doble de artículos de los que necesitaba.
- **Llamadas que le saldrán caras.** Cada vez hay más servicios por los que pagar al contratar telefonía móvil, y con ellos, más cláusulas que irán sumándose a la cuenta final.
- **Una banca nueva, ¿o la de siempre pero maquillada?** Tras las promociones de banca transparente, online y al parecer más preocupada por el cliente siempre subyace el mismo objetivo. No se engañe, la banca gana.

Capítulo 6

El tiempo, gran aliado del low cost

A nadie se le escapa que para comprar un vuelo a buen precio hay que hacerlo con antelación, que las rebajas siempre son en enero y julio, o que esa oferta de un parador que recibe hoy en su buzón de correo electrónico dura solo veinticuatro horas. Los límites de tiempo se han convertido en el compañero fiel de casi todas las ofertas y los descuentos que llegan a nuestras manos, pero la importancia que tienen en el negocio low cost va mucho más allá de lo que podamos imaginar. El tiempo es uno de los pilares básicos sobre los que se asienta la filosofía del bajo coste, y ello se hace evidente en todos los sectores en los que este modelo ha conseguido implantarse con éxito. Así que coja el calendario y empiece a marcar las mejores fechas para realizar sus compras.

1. El vuelo despega tres meses antes

Si navega por internet encontrará decenas de páginas que explican cuándo es mejor comprar un billete de avión para conseguir el máximo ahorro. Pero lo cierto es que no existen fechas exactas para cazar el vuelo más barato. Nosotras mismas hicimos la prueba.

Durante cuatro meses realizamos un seguimiento diario de una serie de vuelos para comprobar en qué medida el paso del tiempo afecta de manera significativa a los precios de los billetes. En nuestro estudio tuvimos en cuenta tanto las aerolíneas tradicionales como las de bajo coste y pudimos comprobar la variación en las tarifas de unas y otras. ¿Siente curiosidad? Pues siga leyendo...

Nos permitimos el lujo de elegir un vuelo de Madrid a Punta Cana ida y vuelta con Air Europa y uno de Londres a Miami con British Airways, los dos en septiembre, para hacer un estudio de las aerolíneas tradicionales. En esta ocasión no estamos intentando averiguar cuál es la compañía que tiene los mejores precios, sino cómo evolucionan estos conforme avanza el tiempo.

Todo el mundo piensa que para conseguir una buena tarifa en sus billetes de avión lo mejor es comprarlos con antelación. ¿Será cierta esta máxima? Para nuestro viaje a Punta Cana con Air Europa nos acercamos a su página web para comprar los billetes cuatro meses antes del vuelo.

Durante la primera quincena del mes de mayo nuestro vuelo tendrá un coste de 800 euros, pero decidimos esperar un poco y, para nuestra sorpresa, tan solo diez días más tarde la tarifa se dispara hasta los 1.053 euros. En poco más de una semana el precio ha aumentado en más de 200 euros. Desanimadas por el fuerte incremento, pero espectantes por ver cómo evoluciona, seguimos rastreando nuestro billete hasta que veinte días más tarde vemos que baja. Los 1.053 euros se reducen hasta 815, tres meses antes del viaje. Esta tarifa se mantiene prácticamente estable, hasta que cuando queda poco más de un mes para que despeguemos rumbo al Caribe vuelve a subir. Con menos de treinta días de antelación, comprar el billete saldrá por 950 euros, 150 euros más que cuando lo vimos por primera vez en la web con cuatro meses de antelación y 100 euros más caro que a tres y dos meses vista.

Salvo por esos primeros quince días, en los que la tarifa se disparó más de 200 euros, la evolución del precio ha sido constante. El billete, que costaba 800 euros en mayo, llegó hasta los 950 unos días antes del vuelo.

Para verificar si, como ocurre con Air Europa, siempre es más rentable comprar los billetes de forma anticipada, elegimos otro viaje diferente en otra aerolínea tradicional, un vuelo ida y vuelta con British Airways de Londres a Miami, de nuevo en el mes de septiembre. Examinamos los precios y comprobamos que con cuatro meses de antelación el billete se mantiene en torno a los 480 y los 495 euros.

Durante los dos meses siguientes el precio baja ligeramente hasta situarse en torno a los 450 euros. Con tres y dos meses de antelación, comprar el billete en British Airways no implicará ningún riesgo, pues el precio se ha mantenido estable prácticamente desde que comenzamos a mirarlo hasta que llega el mes previo al vuelo. Pero treinta días antes del despegue el panorama empieza a cambiar. El precio de los billetes comienza a bajar hasta los 420 euros y según avanzan las fechas la tarifa cae aún más. A quince días, el coste del pasaje es de 340 euros, 150 menos de lo que llegó a costar en mayo.

Tanto en una como en otra aerolínea, durante los meses previos el coste del vuelo sufrirá variaciones pequeñas o puntuales, con algunas excepciones que casi no alteran los tiempos de compra. Pero ¿en qué se basan estas compañías para variar sus tarifas?

Para establecer el precio a cada asiento la aerolínea deberá tener en cuenta dos factores: cubrir sus costes y la ocupación del vuelo. Los billetes que se venden de forma anticipada sirven para pagar los costes fijos del avión. Con el dinero que ingresa Air Europa vendiendo esos billetes con cuatro o tres meses de antelación se hará cargo de los gastos originados por el vuelo, las amortizaciones, los costes aeroportuarios... Poner más baratos esos billetes responde a una estrategia bastante básica: cuántos más se vendan, más rápido se cubrirán los gastos. Una vez solventados, el siguiente paso es conseguir la máxima ocupación del avión para rentabilizar en la medida de lo posible el viaje. En el vuelo de Air Europa, de los 800 euros iniciales que costaba el billete, el precio sube con un mes de antelación a 950. Es evidente que la aerolínea ha cubierto sus costes con los billetes vendidos en los meses previos y puede permitirse el lujo de subir sus precios durante los últimos treinta días de ventas.

Pero fijémonos en el comportamiento de British Airways. Cuando falta menos de un mes para el vuelo, un billete que en mayo costaba casi 500 euros ha ido bajando hasta situarse en los 340. Contrariamente a lo que suele pasar, el precio del pasaje ha ido descendiendo en lugar de aumentar. La explicación es sencilla. Toda compañía aérea posee un baremo de precios que varía en función del tiempo que queda para la salida y de la ocupación del avión. El viaje de la británica comenzaba marcando 495 euros, pero con el paso de las semanas ha ido bajando, seguramente por la escasa demanda y la necesidad de incentivar la compra para cubrir los costes fijos. British Airways tenía unas previsiones de ventas que a un mes del viaje no se habían cumplido, por lo que tuvo que ajustar sus precios al comprobar que se acercaba la fecha del vuelo y corría el riesgo de tener pérdidas en esa inversión.

Aunque no es la tónica general, en algunas ocasiones puede ocurrir que un billete de avión salga más barato con unos cuantos días de antelación que con tres meses. Sin embargo, si nos ceñimos a la pauta general, no es lo corriente. Este tipo de vuelos, considerados de demanda estable, suelen incentivar la planificación del viajero para que cuanto antes se reserve el billete, más barato salga.

Tampoco es habitual encontrar chollos de última hora. Una de estas compañías llegará al día del vuelo con todos sus costes cubiertos, por lo que cualquier billete vendido de más será una ganancia adicional. De esta forma, se permiten cobrar abusivas tarifas a aquellos viajeros que se vean obligados a coger ese avión sin poder esperar a una tarifa más económica. Como decimos, no hay una regla general, por lo que puede darse el caso de encontrar un última hora tirado de precio. No obstante, si tenemos que darle algún consejo, este será que compre con antelación.

Veamos ahora el seguimiento de las compañías low cost. Al igual que en el estudio anterior, hemos elegido dos aerolíneas con dos trayectos similares comprados con cuatro meses de antelación.

Si en las compañías tradicionales veíamos una variación del precio estable, en las low cost un mismo billete puede cambiar tanto que en un solo día puede ofertarse con varias tarifas.

El primer trayecto que elegimos es un vuelo en septiembre con EasyJet de Madrid a Londres-Gatwick, buscado con ciento veinte días de antelación. A esos cuatro meses vista, el precio del billete de ida y vuelta se sitúa en torno a los 78 euros, y sube progresivamente según va acabando el mes. Tres meses antes, el billete ya ha alcanzado los 105 euros, pero sigue sin mantenerse estable. Algunos días el pasaje marca subidas de hasta 20 euros y otros sufre pequeñas variaciones de céntimos, tanto al alza como a la baja. Sesenta días antes de la salida, el panorama es similar. Los precios vuelven a subir hasta alcanzar los 140 euros, pero con bajadas puntuales que permiten recuperar los 108 iniciales. Un mes antes, el precio de nuestro billete se mantiene en torno a los 120 euros.

Desde los 78 euros que costaba el billete la primera vez que entramos en la web de EasyJet, el vuelo ha variado de precio cada día, ya sea en algunos céntimos o en varios euros, llegando a alcanzar los 140 euros en algunas jornadas, casi el doble del precio de inicio.

En Vueling la alteración de precios también es constante. Cogemos de referencia un vuelo Barcelona-Lisboa que parte en septiembre pero que comenzamos a estudiar en mayo. Con cuatro meses de antelación, el billete se sitúa en los 81 euros, tasa que se mantiene estable hasta los noventa días antes de la salida, cuando sufre una caída importante y marca 57 euros. Durante tres días esa tarifa no varía, pero a partir del cuarto comienza a subir. Con un incremento casi constante de 10 euros por día, el billete vuelve a marcar 81 euros, exactamente el precio inicial. Estamos igual que al principio. A tres meses del viaje, el pasaje ha sufrido tres variaciones para regresar a la primera tarifa.

Sin haber aprovechado los días de máximo descuento, seguimos el rastreo de la evolución del billete, que experimenta un baile de precios que lo hace oscilar desde los 43 euros hasta los 73 en días concretos, pero manteniéndose, por lo general, en torno a los 57 euros, a tan solo un mes del vuelo.

Con tanta cifra, seguramente le sea difícil definir un calendario claro en el que decidir cuándo es la mejor fecha para comprar un billete de avión en una low cost. No nos extraña. Las variaciones constantes de precio, incluso en un mismo día, hacen de adquirir un pasaje toda una aventura. A pesar de esto, existen algunas pautas más o menos estables que, aunque no sean la solución, pueden servir de ayuda.

1. No deje la compra del billete para el último momento. Las aerolíneas lanzan sus promociones apróximadamente unos noventa días antes de la salida de los vuelos. Fíjese en el precio de Vueling. La bajada que sitúa el billete en los 57 euros se produce exactamente con tres meses de antelación, a causa de una promoción de tres días en los que esta compañía baja sus tarifas a 19,99 euros. Pero no es casual que esto ocurra justo en esas fechas.

El mismo mecanismo que utilizan las aerolíneas tradicionales, jugando con los precios en función de la ocupación del avión, la competencia y los costes fijos, es usado por las low cost en un algoritmo que variará cada día en función de estas y otras variables. Este guarismo se pone en marcha normalmente a los noventa días vista del vuelo, cuando las aerolíneas lanzan sus mejores promociones para poder vender un número determinado de billetes que les permitan cubrir sus costes.

Cada día, el precio del vuelo puede variar en función de si se venden más o menos billetes, de lo que hace la competencia o de cómo va la ocupación del avión. Y cuidado, que puede cambiar varias veces en una misma jornada. Un buen ejemplo de ello es el viaje que estudiamos de EasyJet, donde prácticamente todos los días varía el precio, ya sea céntimo arriba o abajo, o varios euros más o menos.

2. Preste atención a los días de compra. También entran en juego los días de la semana. El primer factor a tener en cuenta son las promociones agresivas y el momento en que se lanzan. Por lo general se producen en los tres primeros días de la semana. Ryanair, por ejemplo, cada martes o miércoles promociona billetes en torno a los 9,99 euros. En respuesta a la campaña de la aerolínea irlandesa, otras compañías marcan el comienzo de sus ofertas un día antes o después. Entre unas y otras, puede deducirse que lo aconsejable es mirar los vuelos durante esos tres días, sobre todo martes y miércoles, pues mientras unas lanzan una promoción, las otras venden la oferta oportuna para hacer la competencia. Nosotros, consumidores inteligentes, nos aprovecharemos de esta lucha por captar clientes a costa de tener tarifas más atractivas.

3. Fíjese en el día de la semana en el que va a viajar. En las aerolíneas de bajo coste, comprar un billete para volar un miércoles y volver un martes puede ser un 60 % más barato que volar un viernes y volver un domingo. La hora de la partida del avión también puede suponerle un ahorro considerable. Lo más común es volar por la mañana, para aprovechar la jornada del viaje, pero las tarifas más económicas se encuentran a partir del mediodía, llegando a un ahorro de hasta el 30 % en cada billete. Miramos un billete en Air Lingus, compañía low cost irlandesa. Si seleccionamos un vuelo de ida Madrid-Dublín un martes, un miércoles o un jueves, el precio será de 14,99 euros. Si elegimos volar el viernes o el sábado de esa misma semana, la tarifa se eleva hasta los 94,99 euros, 80 euros más por viajar con veinticuatro horas de diferencia. A la vuelta ocurre lo mismo. Si decidimos regresar un sábado o un domingo, o incluso un lunes por la mañana, nuestro precio aumentará una media de 40 euros.

4. Esté siempre alerta. Comprar de forma anticipada se convierte la mayoría de las veces en la mejor opción, pero la constante variación de las tarifas en las low cost requiere una vigilancia poco menos que perpetua. Lo que puede resultar arriesgado en estos casos es dejar la compra para el último minuto, pues aunque a veces uno dé con buenas ofertas, lo más frecuente es no encontrar el vuelo que se quiere para el destino deseado en el último momento y a precios bajos. La línea general es toparse con precios que incluso triplican los de venta anticipada, pues, como ya comentamos, son billetes de los que la aerolínea intentará sacar el máximo partido.

Volar en una low cost vuelve a tener sus ventajas en precio, pero solo si conoce sus entresijos y planifica bien cuándo comprar y cuándo volar, su viaje se convertirá en una buena ganga.

2. Comprar por internet con el tiempo en contra

Ir de tiendas o salir a comprar alguna prenda en concreto supone dedicar un tiempo del que a veces no disponemos. Quizá sea por no perder una tarde entera o incluso pasar un día completo en un centro comercial, internet se ha convertido en una buena alternativa para aprovechar al máximo los minutos libres que nos quedan al día. Pero los aspectos positivos de comprar de forma más eficiente y rápida por la red se ven alterados en muchas ocasiones por la lucha contra el tiempo en la que se convierten las búsquedas de las mejores compras. Toda una lucha contrarreloj.

Venta privada o de infarto

Hemos decidido echar un vistazo en algún club de venta privada porque queremos verificar que el factor tiempo se vuelve esencial en el funcionamiento de estas webs y, de paso, mirar algunos trapillos que estén bien de precio. Estas páginas utilizan el tiempo de manera constante. Con varios días de antelación, nuestro correo electrónico comienza a llenarse de ofertas con fecha de caducidad, de firmas tan golosas como Adidas, CriCri, Emporio Armani Accesories y Jesús del Pozo. ¡Démonos prisa! Estas marcas solo pondrán a la venta esos productos en Vente Privée durante tres días... y las ofertas comienzan a las 7 de la mañana.

El envío del email de alerta unos días antes del comienzo de las ventas no es más que el primer paso del club de venta privada en su astuto juego con el tiempo y con el consumidor. Los conocedores de este tipo de webs saben perfectamente que el mejor día para comprar es el primero, y a ser posible a primera hora de la mañana. Con un simple aviso, el consumidor interesado en esa tienda ya sabrá la fecha concreta, la hora y la duración de la oferta, por lo que el club se asegura que parte de sus subscriptores apunten en su agenda dicho día para visitar la web y prepararse para cargar su carrito de la compra virtual.

Como buenas cazadoras de ofertas que somos, acudimos puntuales a la apertura virtual de puertas de las tiendas Adidas y Jesús del Pozo en Vente Privée. Como si se tratara del día 7 de enero en El Corte Inglés de Puerta del Sol de Madrid, sabemos que no son pocos los clientes que están esperando en la web a que el reloj marque exactamente las 7 de la mañana para comenzar a comprar. A esa hora, se enciende el cronómetro que marca los segundos que nos quedan para aprovechar esas ofertas. El tiempo juega en nuestra contra pues que la mayoría de la ropa se agote es solo cuestión de minutos.

Tras una primera vista rápida vemos unos pantalones de chándal que antes costaban 38 euros y ahora marcan 9, y un bañador que antes valía 40 se vende por 15 euros. Nuestra talla todavía está disponible, por lo que clickamos para «Añadir al carrito» nuestras dos compras y seguimos navegando por la tienda por si encontramos algo más de nuestro interés.

El sistema de estas páginas se ha ido puliendo con el tiempo, pero al principio el manejo de las cestas virtuales presentaba algún que otro problema. Como si de ir de compras en tiendas reales se tratara, era imposible salir de una de esas ventas sin pasar antes por caja, pero a diferencia de lo que ocurre en una tienda física, cada pago llevaba, y lleva todavía en algunas ocasiones, un coste adicional por gastos de envío. Este inconveniente se ha ido solucionando, por lo que en nuestra mañana de compras podemos dejar la tienda de Adidas con las dos prendas seleccionadas esperando a ser pagadas y visitar la boutique de Jesús del Pozo. Una chaqueta que antes costaba 99 euros se puede adquirir por 29 y un top que marcaba 89 está rebajado hasta los 19 euros. Hemos adquirido justo lo que íbamos buscando, algo deportivo, una camiseta y una chaqueta de marca. Contentas con las compras, seguimos echando un vistazo a la web, por si vemos alguna otra cosa rebajada que nos interese.

Poco a poco, de cada prenda va colgándose el cartel de «Agotado», y no ha pasado más de una hora desde el comienzo de las ventas. La ropa disponible va desapareciendo con alarmante rapidez. Además, el funcionamiento del sistema de pago pasa por tener otro límite de tiempo. En concreto, por cada artículo que añadimos al carrito disponemos de 15 minutos para pagar y, por ende, debemos tomar la decisión de comprarlo o no en solo un cuarto de hora. Si nos demoramos, nuestra sesión expirará y perderemos todo lo que hemos seleccionado hasta el momento. Si esto sucede, es bastante probable que, cuando volvamos a la tienda, los artículos que habíamos elegido ya estén agotados o esperando en la cesta de otro usuario. El tiempo es el gran enemigo del consumidor en estas páginas. Todos los pasos que hay que dar para realizar con éxito una compra disponen de unos pocos minutos. Todo se hace a contrarreloj, y ese tic tac genera en los usuarios una inusitada ansiedad que les incita a las compras compulsivas. ¡No hay tiempo que perder! O tus movimientos son rápidos y precisos o te quedas sin el producto que tanto te había gustado. Hay que ser el más ágil: entrar, mirar, elegir y pagar.

Una posible solución para no perder las compras que ya están decididas es ir pasando por caja de forma separada con cada una de ellas. El inconveniente: tener que pagar un mínimo de 6 euros de gastos de envío por cada artículo que se adquiere. Si hubiéramos elegido esta solución, habríamos pagado 6 euros de más por camisetas que costaban 9: casi el mismo precio por la prenda que por los gastos.

Ni de lejos nos planteamos esa alternativa. Seguro que encontramos otra manera de aprovecharnos de las ofertas de esa web en el tiempo que nos permite. Solo hay que echarle algo de picardía. Si por cada prenda que se añade al carrito el cronómetro se pone a cero y la página concede 15 minutos para su compra, ¿por qué no jugar con este factor para ganar tiempo? Imagine que nuestra sesión está a punto de expirar y nuestra intención es seguir mirando, pero para eso necesitamos un tiempo extra. Así que decidimos añadir a nuestra cesta unas zapatillas que no nos interesan para disponer de 15 minutos más. A fin de no perjudicar a otros usuarios que de verdad quieran comprar esas deportivas, lo ideal será deshacernos de ellas cuanto antes. Ya hemos conseguido lo que queríamos: algo más de tiempo para hacernos con los artículos de nuestro interés y menos presión que nos induzca a una compra compulsiva. Finalmente pagaremos solo 6 euros de gastos de envío por las cuatro prendas que nos llevamos.

Las prisas son, sin duda, el peor enemigo del consumidor. La mayoría de las webs juegan con esa estrategia para hacer de nuestras compras una reacción visceral y provocar en el cliente una necesidad: «Tengo que comprarlo ya porque expira la sesión y el producto se agota».

Para comprobar cómo van las ventas, regresamos a la misma web a mediodía. En solo unas horas se han agotado prácticamente todos los artículos ofertados. Ni pantalones, ni camisetas, ni zapatillas deportivas. Aunque la promoción dura tres días, en la primera jornada esos descuentos han arrasado.

Una vez efectuada la compra tenemos que volver a preocuparnos por el tiempo. Una de las principales quejas de los usuarios es la tardanza en la entrega de los productos, por lo que los clubes de venta privada han tenido que mejorar estas marcas intentando reducirlas entre los quince y los veinte días, o incluso una semana en el mejor de los casos. Pero tras recibir el producto, el problema se desplaza a la devolución, si es necesaria. Si el cliente llama a la compañía para que esta recoja el artículo si no le queda bien y que le devuelvan el dinero, quizá tenga que esperar en torno a un mes y medio de trámites.

A pesar de estos inconvenientes, que veremos más adelante, está demostrado el éxito de estas páginas, pero también el ansia que muchas veces lleva a los consumidores a comprar de una forma tan compulsiva que puede calificarse de irracional. Así que, cuidado, comprar cinco camisas Polo Ralph Lauren por 20 euros cada una es una buena compra, pero ¿realmente necesita todas esas prendas o solo las adquiere por no perder la oportunidad?

3, 2, 1... ¡Descuentos!

El tiempo no solo les sirve a estas páginas como acicate para estimular las compras, también supone una de las mejores herramientas para evitar que se devalúen los productos que ofertan. Tanto los clubes de venta privada como las páginas de cupones descuento utilizan el reloj para generar sensación de exclusividad. A lo largo del libro hemos hecho hincapié en este aspecto porque cuando una firma de moda pone a la venta sus productos en una de estas páginas o un restaurante de lujo ofrece su menú en la red con un 50 % de descuento, lo último que buscan es perder su imagen como firma de moda o como local exclusivo.

Mientras que en los clubes de venta por internet el tiempo para efectuar las compras suele ser de dos a tres días para las marcas de moda, y casi de una semana en el caso de los viajes, en las páginas de ventas colectivas el plazo para hacerse con el cupón descuento se limita a veinticuatro horas. Cada día, decenas de ofertas exclusivas llegan a nuestros correos en forma de oportunidades irrepetibles a las que pocos pueden decir que no.

Tomando como ejemplo el caso del capítulo anterior, en la compra del cupón por el que disfrutamos de una parrillada de gambones y un circuito de spa y masaje balinés, sin darnos cuenta, volvimos a participar contrarreloj. Desde el momento en el que vemos el descuento que nos interesa debemos ser rápidos si queremos adquirirlo. Un cronómetro irá marcando el tiempo que queda para que acabe la oferta. Solo contamos con cinco horas, veinte minutos y cinco segundos para hacer clic y comprar.

A la hora de hacernos con la parrillada, la web advierte del tiempo de validez de ese cupón. Si en tres meses no lo hemos hecho efectivo lo perderemos. En el caso del masaje, el plazo es de seis meses, que es el habitual en páginas similares. Estas amplias prórrogas tras adquirir el descuento imprimen más confianza en el consumidor y disipan las dudas sobre la compra.

Una vez que tenemos nuestro descuento, toca esperar. Hasta que no termine la cuenta atrás no sabremos si ese cupón será efectivo y no recibiremos el email que nos confirmará la compra. Disfrutar de esa promoción dependerá del número de personas que se hayan unido a ella en el plazo determinado.

Nuestra lucha contra el tiempo no termina aquí. Incluso después de haber realizado con éxito la compra, habrá casos en los que el cliente no podrá disfrutar de la oferta hasta el momento en que le dé cita el local. Por ejemplo, en el caso del masaje balinés, es necesario llamar al hotel para hacer la reserva. El éxito de algunas de estas ofertas o en algunos casos la despreocupación por parte de los locales hacia los clientes que van con cupones hacen que el masaje especial del que el beneficiario querría disfrutar ese fin de semana tenga que aplazarse hasta dentro de cinco meses. De este aspecto nos ocuparemos más adelante, pero, por si le sirve de consejo, lo mejor es no dejar pasar demasiado tiempo entre el instante en el que adquiere la oferta y el momento en que la usa. De lo contrario, puede llegar a perderla o a no aprovecharla a su gusto.

Todas estas presiones empujan a más de uno a comprar sin reflexionar. No son pocos los que han sacado a pasear el ratón por esas tiendas virtuales y se les ha escapado algún que otro clic sin querer. El «ya lo utilizaré» o el «sería estúpido dejar pasar este descuento» se convierten en excusas perfectas que maquillan peligrosas trampas comerciales para los internautas. Por eso, debemos detenernos un momento y reflexionar. Si no está seguro de la compra que va a hacer, aunque el tiempo le presione, no siga adelante. Siempre existen trucos a los que echar mano cuando necesitamos unos minutos extra y, por otra parte, cada vez son más las páginas de descuentos y de compras colectivas que ofrecen a diario un mínimo de tres o cuatro buenas ofertas, casi siempre parecidas. Dejar pasar hoy ese masaje balinés solo supone tener que revisar el correo un poco más a fondo esta semana, pues es muy probable que algún que otro tratamiento relajante con una buena oferta caiga en sus manos.

Viajar por la red, ¿venta anticipada o último minuto?

El momento de organizar las vacaciones es uno de los más esperados del año y cada vez es más frecuente hacerlo por internet. Recuerde que ya comentamos que las mejores fechas para comprar billetes de avión suelen ser unos noventa días antes del vuelo, ¿verdad? Pues la cosa cambia cuando se trata de adquirir paquetes vacacionales o, incluso, alojamientos hoteleros.

Primero debe plantearse cuándo va a efectuar su viaje para optar por dos posibles caminos: la venta anticipada o el último minuto. Cada uno tiene sus ventajas y sus inconvenientes, pero para tomar cualquiera de las dos alternativas necesitará tiempo de busqueda en la red.

Organizar su viaje de manera anticipada es la opción tradicional. Desde hace años, las agencias de viajes lanzan sus catálogos veraniegos prácticamente después de Semana Santa con descuentos de hasta el 12 % si se reserva con algunos meses de antelación. Planificar el veraneo en abril o mayo era una forma de ahorrarse algo de dinero y llegar a julio con la economía más holgada. Pero con la llegada de las ofertas «último minuto» el panorama ha cambiado. El temor a adquirir un viaje en primavera y que a dos días de la partida el vecino consiga una ganga igual o mejor no sienta bien a nadie. ¿Es cuestión de suerte o un síntoma de inteligencia comercial? En realidad, podemos considerar que las ofertas de último minuto llevan un poco de los dos ingredientes.

Antes de elegir una de las dos opciones es importante aclarar las desventajas de hacer las compras de última hora. Con esta alternativa no puede elegir fechas concretas, ni un destino específico sin problemas, ni tampoco asegurarse el alojamiento deseado sin tener que aceptar el que la oferta impone y, además, cuenta con menos tiempo de decisión. Estos detalles pueden traducirse en significativos inconvenientes para aquellos que gusten de tener todo bien organizado semanas antes de partir. Con las ofertas de último minuto, el usuario contrata sus vacaciones casi de un día para otro, limitándose a los destinos y precios que se oferten en ese momento.

Sin embargo, estas promociones suelen resultar más económicas que las compras con antelación. Eso sí, los que se acercan a ellas suelen disponer de un calendario flexible y no son de los que ponen demasiadas objeciones a los lugares de destino.

En la página web de Pepetravel, perteneciente al grupo Globalia (dueña también de Halcón Viajes y de Air Europa) existe una opción de viajes de última hora que refleja perfectamente esa rapidez necesaria para cazar buenos descuentos. Cada jueves a las 15.00 y hasta las 15.00 horas del viernes, la web publica ofertas muy agresivas que solo pueden aprovecharse durante ese mismo fin de semana o la semana siguiente. Cruceros, habitaciones de hotel o viajes con todo incluido a menos de la mitad de precio pero para partir incluso esa misma tarde.

La explicación para esa diferencia de precios es clara. Cuando se trata de paquetes vacacionales, el touroperador vende unos vuelos —por lo general fletados especialmente para ese tipo de viajes—, un alojamiento concreto y determinadas excursiones.

El mayorista de viajes cuenta con un determinado número de pasajeros que llenarán el avión, se alojarán en el hotel y acudirán a las visitas turísticas. Para que con esas ventas pueda cubrir sus gastos y sacar rentabilidad, debe cumplir con unas estimaciones de ocupación.

El proceso es sencillo. Con la venta anticipada se lanzará una atractiva oferta con descuentos más o menos agresivos a fin de atraer a los usuarios y poder asumir esos gastos fijos. Una vez cubiertos, y si se considera que las ventas marchan bien, el precio de ese mismo viaje puede llegar a incrementarse considerablemente, pero también puede ocurrir lo contrario. Así, si la fecha de partida está próxima y el touroperador aún cuenta con plazas libres que debe cubrir, se verá en la obligación de lanzar al mercado ofertas mucho más agresivas. Son los descuentos de última hora.

Hace unos años realizamos un viaje a Jamaica. Se trataba de un pack en oferta de una web de viajes de internet que incluía vuelo de ida y vuelta así como alojamiento con todo incluido durante siete noches. A pesar de que adquirimos el paquete con solo un mes de antelación, el precio final fue de 700 euros. En el viaje coincidimos con varias personas que habían comprado el mismo paquete vacacional bien en internet, bien en una agencia física, pero todos íbamos con el mismo mayorista, en el mismo avión y a los mismos hoteles. Aun así, había una importante diferencia: el precio de nuestros viajes. Las personas que lo habían comprado tres meses antes llegaban orgullosas porque lo habían conseguido por 800 euros, cuando su precio real marcaba 1.000. Las que lo habían adquirido con dos meses de antelación habían pagado en torno a los 900 euros. Y los que se habían esperado hasta el último mes habían pagado 700 euros, cuando no 600. Las ventas de última hora de ese vuelo permitieron que ciertos pasajeros pudieran ahorrarse más de 300 euros frente a los que compraron con dos meses de antelación.

Como no siempre es posible escoger un destino de viaje con tan poca planificación, optar por la venta anticipada también puede ser una buena opción si se dispone de tiempo para buscar por la red. Una de las principales herramientas para esta tarea son las webs de comparadores de precios. Páginas como Trivago.com, Mirayvuela.com o Liligo.com nos ofrecen un práctico instrumento de búsqueda con el que planificar unas vacaciones a medida. Seguro que le suena el nombre de Trivago. Aunque nunca se haya acercado a este portal de búsqueda, su popularidad ha subido como la espuma en sus escasos cinco años de vida y ya son aproximadamente quince millones de usuarios los que confían en sus resultados. Mirayvuela.com y Liligo.com quizá no sean tan conocidas, pero también ofrecen un servicio útil que permite al usuario de internet elegir el viaje que más le satisfaga. Ambos son buscadores de vuelos, si bien en el caso de Liligo existe la posibilidad de encontrar además el mejor alojamiento según nuestros requisitos. No obstante, no cuenta con paquetes de viajes. También ofrece la posibilidad de conseguir el mejor vuelo según presupuesto y ciudad de destino. Pero a estos portales les ha salido un duro competidor: los clubes de venta privada. En cualquiera de los casos, cuanto más flexible sea usted con las fechas en las que desea viajar, más sencilla será la búsqueda de gangas.

Organizar unas vacaciones por 800 euros no es lo mismo que comprar una camiseta de 10. El tiempo que un consumidor necesita para decidirse por ese viaje es mayor que el que requiere para adquirir una prenda. Por eso, en los clubes de venta de viajes se amplía el plazo de tiempo entre tres y cinco días para poder elegir sus vacaciones. Aunque también lancen ofertas de última hora, por lo general ofrecen viajes de alta categoría con una reducción de precio de más del 30 % para poder volar en un amplio margen de fechas o, en el caso de alojamientos, para reservas en los siguientes seis meses.

Aunque se trata de dos formas diferentes de viajar, contar con tiempo para buscar por la red facilita encontrar ofertas tan buenas como las de último minuto, donde el destino y las fechas del viaje pueden llegar a ser una incógnita hasta casi unas horas antes de la partida. Si usted cuenta con esa disponibilidad y está abierto a cualquier sugerencia de destino, desde luego que esta última es la forma más económica para organizar su viaje. Si no es así, busque, compare y, con tranquilidad, vaya pensando qué colocará en las maletas.

3. Comprar siempre a tiempo

Con el tiempo justo para ir al súper

Desde que un consumidor decide salir a hacer la compra hasta que regresa a su casa cargado de bolsas, el tiempo que ha empleado puede haber sido de veinte minutos o de toda una mañana. La persona que dedica unas horas a esta tarea puede permitirse el lujo de acudir a varios supermercados, comparar precios y aprovechar ofertas puntuales en diversos comercios. El que no cuenta con todo ese tiempo seguramente acuda siempre al mismo establecimiento, por lo que solo podrá aprovecharse de sus descuentos.

Otra opción puede ser comprar por internet. Lo malo es que todos esos minutos que invierte en elegir lo que quiere sin la experiencia visual que le permite ir a un supermercado se suman al tiempo que tardará en llegarle la compra a casa, lo que puede ocurrir esa misma tarde o al cabo de un par de días. De todas formas, esta es una buena opción para evitar las compras por impulso a las que todos estamos expuestos en cualquier supermercado y, por lo tanto, se convierte en una buena forma de ahorro. De nuevo, los comparadores de precios online pueden serle de gran utilidad para descubrir cuáles son los productos más económicos en cada supermercado y valorar dónde le sale más rentable hacer sus compras. En la página web Carritus.com, los fanáticos por llenar la cesta gastando lo menos posible lo tienen fácil. Este portal le permite seleccionar cada artículo que quiera adquirir y comparar su precio en ocho supermercados. Las facilidades no acaban aquí. Al entrar en la web, podrá elegir los productos que desee en el supermercado que le haya parecido más económico y enviar su pedido a ese centro para que se lo lleven directamente a casa. Una forma innovadora, y sobre todo, muy cómoda que tener en cuenta.

Si nos decantamos por hacer la compra a la manera tradicional, tendremos que aprender a enfrentarnos a las artimañas que cada comercio utiliza para intentar que los clientes pasen el mayor tiempo posible en su establecimiento y, por tanto, compren más. Muchas tiendas recurren a una determinada distribución de sus productos, otras se decantan por ofrecer muestras gratuitas para entretener al consumidor y hacerle sentir más a gusto, y otros, prescindirán simplemente de las ventanas para confundir al comprador, a fin de que pierda la noción del tiempo y pase más horas en ese establecimiento.

Antes de conseguir que el cliente permanezca el mayor tiempo posible en sus instalaciones, el supermercado debe contar con cierta habilidad para atraerlo. No le resultarán desconocidas las constantes ofertas que estos comercios lanzan para captar clientela. Normalmente se efectúan de dos formas: rebajas puntuales con duraciones muy cortas o promociones de más duración. Mientras que Alcampo utiliza folletos en los que se informa de los descuentos más duraderos (aquellos que perduran en torno a los quince días), otros supermercados como Ahorramás, han ideado un sistema de ofertas que se reducen a un solo día o como mucho a un fin de semana.

Por lo general, lo más común es lanzar ofertas con una duración más prolongada. «Aprovéchese del 3x2 de Alcampo del 10 al 23 de este mes», por ejemplo. Una vez lanzado el anzuelo, el consumidor acudirá a ese centro comercial para aprovecharse de la oferta, pero cuidado, poque seguramente saldrá con muchos más artículos de los que había ido a comprar. El uso de las ofertas 3x2 o de la segunda unidad a mitad de precio durante amplios periodos de tiempo es una de las estrategias comerciales más antiguas. Los supermercados las emplean con el objetivo de deshacerse del stock de productos y, a su vez, para incrementar las ventas. Lo habitual es que un cliente que acuda a Alcampo atraído por el 3x2 en comida para perros acabe cayendo en alguna que otra oferta y comprando otros artículos que crea que necesita. Sacar provecho de las promociones es la contrapartida para los clientes, pero las compras de más que realizan suponen un triunfo para el establecimiento. El consumidor que se acercó a Alcampo para sacarle partido a la promoción de comida para perros compró muchos más productos de manera compulsiva. El resto de las ofertas en las que cayó no fueron más que un impulso, una reacción natural motivada por el atractivo cartel de descuento y por la fecha de caducidad de la oferta. Seguramente pensó que si no lo compraba en ese momento habría perdido la oportunidad de sacarle partido a esa promoción, sin preguntarse primero si esos artículos que estaba poniendo en el carrito le eran necesarios o no.

Lo mismo ocurre en Ahorramás, si bien el margen de tiempo de las promociones es mucho menor. La cadena ha establecido un sistema muy agresivo que se mantiene durante un solo día. Un sábado puede ser el día del salmón, el día de la sandía o el día de la carne. Su publicidad promociona un determinado producto a un precio muy rebajado, pero con un espacio temporal tan limitado que la necesidad por aprovecharse de él será mucho mayor que en el caso de las ofertas lanzadas por Alcampo.

Además, si se fija, en muchos supermercados bajo el cartel de descuento que hay en la estantería aparece la fecha de duración del mismo, para que el cliente tenga en todo momento en cuenta que se trata de un precio con tiempo límite.

Algo parecido ocurre con los cheques descuento que extienden algunas superficies. Un buen ejemplo es el supermercado Dia. Todos los meses, a partir del día 28 o 29 comienzan a repartir entre sus socios tickets con los descuentos de los que podrán disfrutar durante todo el mes siguiente. En estos treinta días el cliente podrá entregar esos tickets al pasar por caja para que se le apliquen unos descuentos que pueden ir del 10 al 20 %, al comprar determinado número de unidades de productos concretos. Pero, como era de esperar, Dia no nos está regalando absolutamente nada. Las exigencias para que se aplique el descuento llevan al consumidor a comprar artículos que no necesita solo por contar con una oferta exclusiva y personalizada. «Tengo un ahorro del 20 % al comprar dos unidades de embutido envasado. Aunque casi nunca lo compro, es un descuento bastante bueno, así que debo aprovecharlo durante este mes.» En el caso de Dia, los cupones pueden usarse tantas veces como se desee en todas las compras, pero con un límite de tiempo que genera en el consumidor la necesidad artificial de hacer uso de ellos tantas veces como pueda. Y si es posible, los treinta días del mes.

El tiempo no solo corre en contra del consumidor. Uno de los problemas a los que tienen que enfrentarse los supermercados es el que se produce cuando deben dar salida a sus productos antes de que venza la fecha de caducidad. Tácticas para conseguirlo hay muchas, como la de Lidl, que rebaja un 30 % el género que está a punto de caducar. Ya sea en carnes, productos de panadería, refrigerados o lácteos, a tan solo tres o cuatro días de su vencimiento, la cadena alemana de supermercados coloca una pegatina sobre esas unidades para señalar la rebaja. Ese descuento, lejos de ser una cortesía para el cliente, supone la mejor manera que tiene el súper para sacar beneficio de una mercancía que de no venderse reportaría pérdidas. El consumidor puede añadir ese producto a su cesta de la compra sin fijarse en la fecha y, lo más importante, sin cuestionarse por qué esa oferta está en ese paquete y no en otros.

Para deshacerse del stock o de productos a punto de caducar también hay otras estrategias. Algunos optan por los simples descuentos o incluso hacen llamamientos concretos, como el sábado de la carne que veíamos en Ahorramás. En otras ocasiones se utilizan las tarjetas de fidelización de clientes y los correspondientes cheques descuento destinados al mismo fin. En Carreofur, por ejemplo, los clientes que pertenezcan al club de socios del supermercado reciben de vez en cuando ofertas puntuales. El sábado, por su compra, gratis un kilo de naranjas, o seis litros de leche Lauki gratis si gasta más de 25 euros el próximo domingo. En tales casos, no es de extrañar que el consumidor se acerque a la tienda el sábado para recoger su kilo de naranjas y, de paso, comprar algún que otro producto, o puede que pase el domingo por el establecimiento para aprovecharse de los seis litros de leche gratis aunque tenga que gastarse 25 euros en otros artículos. Carrefour da salida a su fruta, a su leche y, además, consigue incrementar sus ventas. El consumidor, atraído por la oferta concreta, se llevará las naranjas gratis, y solo si puede superar las ganas de comprar algún que otro producto, saldrá de allí sin nada más que la fruta de promoción.

A LA MODA POR TEMPORADAS

Una época que conocemos bien los consumidores es la de las rebajas. A nadie se le escapa que estas comienzan al terminar las fiestas navideñas y a finales de junio, pero ¿sabe por qué?

El final de las temporadas marca el comienzo de estos periodos de descuentos y ofertas en los que los comerciantes deben acabar con sus existencias para dar paso al lanzamiento de la siguiente colección. Toda la ropa que durante el otoño/invierno ocupaba las estanterías en cuestión de días pasa a formar parte de los artículos rebajados. Durante dos meses aproximadamente y justo al finalizar las fiestas navideñas, con algunas variaciones dependiendo de la zona, las prendas de la temporada pasada que se venden como rebajadas se irán mezclando con las de la nueva colección de primavera.

El tiempo de rebajas está estipulado por ley, y debería durar entre un mes y medio y dos meses. Si se fija, la necesidad de librarse de toda esa ropa antes de la llegada de marzo hace que, a medida que van avanzando las semanas, los artículos rebajados que no se han vendido se beneficien de mayores descuentos. A esta vuelta de tuerca se la denomina «remate final».

En la segunda época de rebajas del año pasa exactamente lo mismo. Los últimos días de junio y los primeros de julio suponen el pistoletazo de salida para la bajada de precios de casi todas las tiendas de moda, que dan por terminada la temporada de primavera-verano para dar cabida a la ropa de otoño-invierno. Hasta finales de agosto, con segundas y terceras rebajas y hasta «remates finales», toda esa ropa de la colección pasada tendrá que ir vendiéndose a precios que, al final de la temporada, pueden parecer casi regalados. Una camiseta que en abril marcaba 12,99 euros quizá llegue a costar 1,99 el día 29 de agosto.

Pero toda regla tiene su excepción. Primark no tiene época de rebajas. La cadena de moda irlandesa dispone de precios tan reducidos durante todo el año que ve innecesario convocar a su clientela a una temporada de descuentos. Sus fieles ya se aprovechan de buenos precios durante 365 días. Por eso, en lugar de rebajar sus productos en estos periodos puntuales, la compañía «se vende» como una tienda de rebajas todo el año.

Los comercios han ideado otros reclamos publicitarios para conseguir clientes que buscan descuentos fuera de la etapa de rebajas. El consumidor que recibe por correo postal o al comprar el periódico el catálogo de la Semana Fantástica de El Corte Inglés, o aquel que ve el anuncio por televisión, siente curiosidad por saber qué grandes ofertas se promocionan durante una única semana. La suerte para el consumidor en este caso es que nunca duran lo que anuncian: la Semana Fantástica es de diecisiete días y los Ocho días de oro duran medio mes. El anuncio que atrae al consumidor a comprar artículos con un buen descuento en tan solo unos días acaba alargándose para mantener esas ventas excepcionales con las que El Corte Inglés cuenta varias veces al año.

En las tiendas de Inditex, en lugar de recurrir a campañas promocionales, se utiliza una técnica muy eficaz en la que todos hemos caído alguna vez sin darnos cuenta. En su visita a una tienda Stradivarius o Pull&Bear podrá encontrar unos pantalones que le agraden a un precio más o menos aceptable. En una semana esos pantalones pueden venderse en algunas tiendas concretas, pero a la semana siguiente seguramente esa prenda esté ocupando las estanterías de otros de sus locales. Con esta astuta maniobra, Inditex genera en el consumidor la necesidad de comprar en el momento y así no perder esa oportunidad por haber esperado demasiado para tomar la decisión. Si tarda más de una semana en decidirse, puede que esos pantalones ya no estén en el Stradivarius de su barrio.

Las rebajas, las ofertas puntuales y los cambios constantes de temporada no son más que inteligentes estrategias que animan a comprar. Seamos más listos que ellos y pensemos dos veces nuestra compra antes de hacerla.

«El día del máximo ahorro»

El sector de la moda y el de la alimentación no son los únicos que han recurrido a las campañas por días o semanas para llamar la atención del público. Que decenas de personas esperen a las puertas de un establecimiento para ser los primeros en llevarse artículos con un gran descuento es un importante triunfo de marketing. Gracias a los conocidos como «días de», esta imagen se repite con más frecuencia cada vez en algunos comercios, los cuales venden durante un solo día sus productos con precios más reducidos.

Buen ejemplo de esta estrategia es el «Día sin IVA» de Media Markt. La cadena de tecnología y electrodomésticos ha puesto en boga una exitosa campaña donde se aplica una deducción del IVA en todos sus productos. Algo que comenzó como un ejercicio promocional empírico se ha convertido en un modelo a seguir. El triunfo de este tipo de promociones se debe, principalmente, a dos factores:

- **El importante descuento.** Media Markt vende aparatos tecnológicos caros en los que aplicar una rebaja del 18 % supone un importante ahorro para el bolsillo del cliente. Pero quien hizo la ley hizo la trampa. Y es que no es lo mismo restar un 18 % a 1.000 euros, que descontar el IVA a un producto al que, inicialmente, tuvo que sumárselo la tienda hasta encarecerlo a 1.000 euros. Es decir, si fuera una rebaja del 18 % como tal, el artículo que cuesta 1.000 euros se quedaría en 820, pero al aplicar la deducción del IVA, el producto se venderá por casi 850 euros, lo cual supone una rebaja real del 15,3 %.

- **Ofertas en días concretos**. Todas las tiendas que ponen en marcha este tipo de campañas no dan puntada sin hilo. Lanzan esas promociones los primeros días de mes para hacerlas coincidir con los días de cobro de la clientela. De esta manera, se aseguran de que sus futuros compradores tengan liquidez para hacer un gran gasto. Además, se afanan para que sus campañas se lancen en lunes o en martes, que es cuando menos clientes reciben y cuando mejor les viene llenar sus tiendas. Iniciar una de esas ofertas en sábado tendría menos sentido, ¿no cree? El sábado suele ser el mejor día de la semana en cuestión de ventas y, por tanto, no necesitan incentivarlas. Tampoco es casual que esas promociones duren, como mucho, un par de días. Solo de esta manera consiguen incitar al consumidor a comprar. Dos exclusivos días o una oportunidad única. Cualquier llamada de atención sirve para que con un buen anuncio en la prensa o en la televisión aquel que estuviera dudando en comprarse una pantalla de plasma marque la fecha en el calendario y vaya a primera hora de la mañana al establecimiento para hacerse con ella. De nuevo, el paso por la tienda rodeados de ofertas que solo duran dos días vuelve a despertar en nosotros un ansia consumista repentina, la tentación irresistible de comprar algún que otro accesorio para la fantástica pantalla de plasma por la que habíamos ido al establecimiento.

En El Corte Inglés, por ejemplo, también se ha llegado a utilizar esta estrategia del «Día sin IVA en tecnología». Durante solo una exclusiva jornada, todo el departamento de electrónica de determinados centros (para dar más emoción al asunto) contará con una deducción del 18 %.

Deducir el IVA también ha funcionado en otros negocios como el de la alimentación. Buen ejemplo de ello es el supermercado El Árbol, que durante una única jornada reclamaba la visita de sus clientes más fieles, aquellos que tuvieran la tarjeta de socio, para que pudieran hacerse con cualquier producto del supermercado con esos decuentos.

«Días D» hay muchos. Desde el Black Friday hasta el de San Valentín. Aunque el segundo les resulte más familiar, el primero, Viernes Negro, es cada vez más popular. Esta fecha se corresponde con el primer viernes de noviembre, y en Estados Unidos es el día en el que se inician las compras navideñas. Su fama se debe a los importantes descuentos que se aplican en todas las compras de artículos tecnológicos durante esa jornada. El Black Friday ya ha traspasado fronteras y ahora es famoso en medio mundo, incluida España, donde tiendas como Apple aplican descuentos de hasta el 10 %. En Estados Unidos es la jornada del año en la cual más compras se realizan de electrónica y tecnología, de manera que es el día del consumo informático por excelencia. Al igual que ocurre con el resto de los «Días de...», al tratarse de un solo día al año, ese primer viernes de noviembre se alcanzan cifras de vértigo en ventas.

El caso del Viernes Negro es bastante particular porque ha logrado hacer de un solo día una jornada cinco estrellas en compras. Pero existen otras fórmulas que se basan en campañas de descuentos muy agresivos en días concretos que, en este caso, se repiten con cierta periodicidad. Así sucede con Telepizza o con Ikea, que también crearon sus promociones de tan solo un día pero que se celebraban casi todas las semanas. El Día del Dormitorio o el Día de la Cocina en Ikea se llevaban a cabo los martes o los miércoles de cada semana para atraer a la clientela más reticente. De nuevo, el paso por la tienda supone la captura de un cliente que casi con toda seguridad acabará comprando algo más a parte de la oferta a por la que había ido con ocasión del Día del Dormitorio. En el caso de Telepizza ocurrió algo parecido con los llamados «Martes Locos» en los que ofrecía rebajas de hasta el 50 %. Crear un día concreto con unos precios muy por debajo de los habituales vuelve a ser una buena fórmula para atraer a clientes que se ven seducidos por una jornada de ahorro exclusiva que hay que anotar en la agenda: los martes, se cena pizza.

Sea como sea, el tiempo de compra se vuelve fundamental: con más o menos antelación, en meses concretos, semanas específicas, días e incluso horas. O ¿acaso nunca se ha aprovechado de la famosa Hora Feliz en algún bar o restaurante? Jugar con el tiempo en todo tipo de establecimientos es una táctica eficaz de la que los consumidores a veces no somos conscientes, pero que puede alterar mucho los precios que pagamos. Por ello, la mejor forma de aprovecharse de esos descuentos es participar en ese juego en el que el tiempo, en este caso, sí es oro.

4. Veinticuatro horas colgados del teléfono

Si hay algún sector que pueda presumir de jugar con el tiempo es el de la telefonía. Llamadas a 8 céntimos el minuto, tarifas para hablar veinticuatro horas o un año y medio de permanencia. Todo gira en torno a la cantidad de segundos que el cliente pasa hablando por el móvil, navegando en internet o enviando mensajes de texto.

La aparición de operadores low cost en escena ha obligado a los tradicionales a reorganizar el tiempo que cobraban. La nueva competencia las indujo a reducir esas elevadas tarifas de las que muchos fuimos víctimas. Actualmente, los precios que pagamos se establecen en base a dos tipos de tarifas: por intervalos de tiempo —normalmente minutos—, o con tarifas planas.

A la hora de contratar una nueva tarifa móvil o decantarse por un operador u otro, lo primero en lo que nos fijamos es en el coste del minuto por llamada. 8 céntimos el minuto, 6 céntimos e incluso 2,5. Una buena elección determinará lo que paguemos al mes. Hablar un minuto por teléfono puede variar mucho, y no solo entre compañías diferentes, sino también en un mismo operador. La cuestión es evaluar el tiempo que pasamos hablando por teléfono, el horario en el que más llamamos y, lo más importante, el contrato de permanencia que tenemos para poder cambiar de operador, tarifa o móvil cuando nos convenga.

Como comentábamos, hay dos formas de calcular el gasto. La primera opción pasa por elegir tarifas que cobran por minuto hablado a precios asequibles, aunque en la mayoría de las ocasiones se nos exige también un contrato de datos para navegar por internet que se suma a la factura de final de mes. Otra alternativa es contratar tarifas planas donde se nos otorgan determinados minutos mensuales para hablar. El problema de estas últimas es que al agotar esa cantidad las llamadas fuera de la tarifa se cuantifican muy por encima de ese precio. Pero como el que avisa no es traidor, normalmente los operadores se cubren las espaldas con mensajes de texto en los que se advierte al usuario del plazo que le queda para agotar la tarifa. Esa será la señal para moderar las llamadas.

También es importante tener en cuenta el horario en el que se piensa llamar. Las tarifas que abarcan todo el día son las menos comunes, pues precisamente en los periodos de tiempo que no están cubiertos por los planes de llamadas que el usuario contrata es donde la operadora saca más dinero. Llamadas de seis de la tarde a ocho de la mañana o llamadas gratis los fines de semana. La cuestión es dejar frentes de tiempo abiertos para poder doblar el coste de la llamada que no entra dentro de la tarifa contratada.

En las compañías tradicionales el contrato de permanencia sigue siendo el principal lastre para el consumidor. Renovar el teléfono móvil o cambiar varias veces en un mismo año de tarifa de llamadas para encontrar la que más se ajuste a su gasto tiene penalización. En algunas ocasiones la «multa» por romper el contrato con la operadora se paga por tramos de seis meses. Da igual si le queda un mes para finalizar su permanencia como si le quedan seis, el precio a pagar será el mismo. En los mejores casos, el operador aplica alguna rebaja a la penalización que impone al consumidor al ritmo al que se van reduciendo los meses para finalizar el contrato. Pero eso solo sucede en el mejor de los casos.

Como ya hemos explicado, si de algo pueden presumir los operadores low cost es de no contar con esos contratos de permanencia que por lo general atan al cliente con su compañía telefónica por un periodo de dieciocho meses. El hecho de no ofrecer «gratis» teléfonos de alta gama no les permite atrapar a sus clientes durante largas temporadas para costear el caro regalo. Pero no se engañe: que no tenga contrato de permanencia no significa que su compañía no pretenda retenerlo con otras artimañas. Así que ándese con ojo de todos modos y, sobre todo, tenga cuidado. En este sector, más que en el resto, el mejor consejo es que tenga en consideración el tiempo, que tanto puede ser el peor de nuestros enemigos como nuestro mejor aliado.

5. Tiempos de interés para la banca

En la banca el tiempo es oro. El negocio bancario consiste en prestar y captar dinero a plazos. En esencia, son especuladores y el tiempo es uno de sus principales ejes.

Cuando vamos a un banco a solicitar un préstamo o a contratar una hipoteca siempre nos hacemos dos preguntas: cuánto tenemos que pagar y en cuánto tiempo. El particular contrato de permanencia que nos une al banco puede durar muchos años y, además, los intereses que tenemos que pagar pueden variar de un plazo a otro.

Una hipoteca, por ejemplo, es un matrimonio financiero que puede durar más de veinte años y su ruptura, en muchos casos, le puede salir muy cara. Por eso, hay que intentar comenzar la carrera con ventaja. Es muy importante, antes de firmar una hipoteca, tener en cuenta nuestro nivel de ahorro a futuro, olvidar la fidelidad a nuestro banco de toda la vida y consultar otras ofertas, compararlas y negociar con las entidades. Recuerde que para tal fin no necesita desperdiciar su tiempo recorriendo las sucursales. Internet le permite visitar esas oficinas y comparar sus ofertas a través de los simuladores, una valiosa herramienta online. Este instrumento sirve para averiguar cómo quedará el pago de su hipoteca según los plazos con los que cuenta. Casi todas las entidades disponen de esta opción en sus páginas web y también muchas inmobiliarias, pero hay portales especializados e independientes, como Hipotecas.com. Su uso es muy sencillo. Imagine que quiere comprarse un piso que cuesta 150.000 euros y desea saber cuánto le costará al mes su préstamo hipotecario si pretende saldar su deuda en quince años. Esos simuladores le permiten calcularlo. Tan solo debe introducir el importe total que vaya a solicitar al banco, el plazo en el que quiere devolver el préstamo y el tipo de interés que le ofrecen y... *voilà!*, sabrá cuánto dinero tendrá que pagar al mes. Si ha mirado una hipoteca de 150.000 euros a quince años y a un tipo de interés del 2 % su cuota mensual ascenderá a unos 965 euros. De esta manera le resultará más sencillo hacer sus cuentas antes de contratar un préstamo con el banco.

Lo que está claro es que cuando nos compramos una casa lo hacemos con ilusión. Pensamos en cómo la vamos a decorar, a qué van a estar destinadas sus estancias y de qué color vamos a pintar las habitaciones. Pero también debemos hacer cálculos. Tenemos que meditar sobre nuestros ingresos, nuestros gastos y el remanente que nos queda para pagar el préstamo. Todos los meses, tendremos que hacernos cargo de la deuda más unos intereses que establece el banco y que varían en función del Euribor. Los simuladores pueden ayudarnos, pero es importante calcular nuestra capacidad de endeudamiento, teniendo en cuenta que la hipoteca será revisada cada cierto tiempo y puede variar la cuantía a pagar en función de los cambios con los tipos de interés.

El cuándo en este negocio es importante. Salta a la vista que a medida que van pasando los años, se va amortizando la deuda y, por lo tanto, el efecto que pueda tener en nuestras finanzas una subida de tipos será menor cuantos más plazos hayamos superado.

A veces, ni siquiera los cálculos más detallados son suficientes para evitar un despido sorpresa, una crisis económica, una subida de tipos, unos gastos imprevistos, etcétera. El futuro es impredecible y, aunque nos afanemos por conseguir cuadrar todos nuestros números para sacar adelante la hipoteca, a veces ocurren cosas que no tenemos computadas. Por eso existe lo que se llama «ampliación del préstamo».

En muchos casos un alargamiento de nuestra hipoteca no lleva consigo coste alguno, pero imponerse más plazos que pagar supone también más intereses que asumir. Imagine que ha contratado una hipoteca por 200.000 euros a treinta años y necesita ampliar su préstamo diez años más. Lógicamente, su pago mensual se verá reducido pero el crédito que ha solicitado aumentará, pues se tendrán en cuenta los intereses mensuales extra por esa década de más.

Heredarás la hipoteca...

De una hipoteca no nos salva ni la muerte. Cuando el deudor fallece sus herederos deben hacerse cargo de la deuda. El banco no perdona ni un minuto.

Hay hipotecas que se conceden a treinta, a cuarenta e, incluso a cincuenta años. Con todo ese tiempo por delante puede llegar a pasar que el deudor muera dejando un pufo al que hay que hacer frente. En esas ocasiones, los herederos no solo reciben la casa, sino también su deuda. Y tienen que hacerse cargo de los plazos que queden para liquidarla.

Pagamos religiosamente todos los meses, nos revisan la hipoteca tantas veces al año según contrato y tenemos que estar atados al préstamo durante varios lustros. ¿Es o no importante aquí el tiempo...? Y no solo lo es para nosotros, que hemos decidido comprar la casa, sino también, quizá, para nuestros descendientes.

De uñas por el pasivo

Como todo tiene su momento, la guerra de los depósitos también tiene marca en el calendario. Suele producirse en septiembre. Es en ese mes cuando, tradicionalmente, las entidades lanzan sus ofertas en depósitos para ganar liquidez. Aunque la crisis ha desvirtuado un poco su momento y muchas entidades han convertido esa guerra en una batalla campal, tras las vacaciones de verano a ningún ahorrador se le escapa que comienza el mes de las ofertas financieras. Depósitos de todos los colores, con nombres llamativos o recomendados por alguna estrella del deporte, al 4 % TAE, al 3,75 % o al 2,25 %, a un mes, a tres meses o a un año. En este caso el tiempo está recompensado. El banco quiere su dinero para tener liquidez y retribuye con mejores intereses a aquel que le confíe sus ahorros por más tiempo. Es una de las maneras que usan esas entidades para retener a su clientela.

Pero no es la única. Las cuentas sin comisiones por mantenimiento al mes por domiciliar la nómina o las tarjetas de crédito con un interés especial para compras son, en definitiva, paquetes de fidelización que premian al cliente por su lealtad.

Cada minuto cuenta cuando se trata del negocio financiero. Pedir prestado dinero trae consigo unos plazos para amortizar la deuda, que serán más o menos amplios según las condiciones fijadas. Ahorrar a través de instrumentos financieros también recompensa según el tiempo en el que usemos el banco como hucha. Debemos hacer nuestros cálculos y tener en cuenta el calendario para que ninguno de los compromisos que hayamos adquirido con esos prestamistas nos explote en la cara.

GUÍA PRÁCTICA: ¿Cómo influye el tiempo en mis compras low cost?

- **¿Venta anticipada o última hora?** Adquirir con unos tres meses de antelación un billete de avión es lo más recomendable. En el caso de las vacaciones, comprar a última hora supone viajar más barato pero sin poder planificar el destino.
- **¿Compras por internet u ofertas bomba?** Relojes que marcan el tiempo que falta para que se acabe la oferta y correos que le avisan de la hora a la que comienzan determinadas ventas. Para ser un auténtico cazador de gangas en la red, hay que tener un calendario y el reloj puesto en hora.
- **Un día en el supermercado.** Tanto en el súper como en los grandes almacenes, es cada vez más frecuente que las promociones tengan fecha de caducidad más y más corta. Los «Día de...» son la última moda.
- **Casado con su compañía telefónica.** Además de contar cada segundo que el usuario pasa al teléfono para no ver crecer su factura, cambiarse de compañía telefónica le supone comprometerse con ella por lo menos durante dieciocho meses.
- **Banca.** Cualquier producto financiero tiene al tiempo de aliado. Téngalo en cuenta a la hora de contratar una hipoteca, que lo atará durante muchos años, tanto cuando pida un préstamo como cuando abra un depósito.

Capítulo 7

El low cost, ¿aquí o allí?

Ningún producto de ninguna tienda está ahí porque sí. Todo ese aparente orden en los estantes de los establecimientos responde a un objetivo: convencer al cliente de que compre determinados artículos. La colocación de los productos, el diseño de las tiendas e, incluso, su localización siempre han sido elementos clave para los vendedores. Cualquier buen comerciante sabe que con algunos truquillos puede animar a sus clientes para que adquieran lo que ellos quieren que compren.

Aprovechar al máximo el espacio con el que se cuenta es práctico, pues supone una buena manera de optimizar costes, y una compañía que se considere low cost lo sabe.

1. Volar, pero ¿hasta dónde y cómo?

Las aerolíneas de bajo coste se han caracterizado siempre por saber aprovechar el espacio con el que cuentan. Disponen de los aviones justos para las rutas que realizan; optan por volar a aeropuertos secundarios, con tasas más bajas; sacan el máximo provecho a sus aeronaves y reducen en lo posible su presencia en los servicios de tierra o *handling*. Toda esta reducción de espacio se traduce, inevitablemente, en un ahorro de costes que se traslada a la factura que el cliente debe abonar.

El primer escenario del que prescindieron esas empresas fue el de las sedes físicas, para operar íntegramente por internet. El viajero gestiona desde su casa todo su viaje y elige el vuelo que más le conviene según fechas, horarios y precio. Atrás quedaron las agencias de viajes que ayudaban a hacer estos trámites y a las que, por supuesto, había que pagar por ello.

Las diligencias en el aeropuerto

Una vez en el aeropuerto, nos damos cuenta de que la mayoría de las aerolíneas de bajo coste cuentan con menos mostradores comerciales y oficinas que las tradicionales, pues por cada zona donde se establecen deben pagar unas tasas. En el caso de España, Aena tarifaba en 2011 el alquiler mensual de cada mostrador de facturación en 1.334 euros en el caso de transportador báscula o 382 euros con cinta, en aeropuertos como los de Barajas o El Prat para contratos de un año. En el caso de aeropuertos como los de Valladolid o Girona, el coste se reduce a la mitad en los dos tipos de zona de facturación.

Tales precios inducen a muchas low cost a cobrar al pasajero si no lleva la tarjeta de embarque impresa, y así pueden ahorrarse el pago del espacio en los aeropuertos que efectúen esa gestión. Además, no son pocas las compañías que se devanan los sesos para dar con algún sistema eficaz que permita eliminar su presencia en tierra o, al menos, limitarla al máximo. EasyJet, por ejemplo, se planteó hace unos años introducir máquinas móviles capaces de procesar los datos de los viajeros e imprimir las tarjetas.

Maletas minimalistas

La economización del espacio también influye en nuestro equipaje. En cualquier compañía aérea, la bolsa de mano no puede superar un determinado peso ni unas medidas establecidas. Pero, además, en el caso de las low cost, llevar sin facturar varios bultos supone un recargo monetario. Con el fin de evitar un gasto excesivo de combustible y para administrar mejor el espacio, estas compañías han calculado una bolsa por pasajero. Y llevan esta exigencia a rajatabla. Si el cliente se pasa del peso establecido, tendrá que pagar una «multa», que varía según la compañía.

Diez kilos, doce o veinte. Antes de embarcarse es importante que controle a la perfección cada gramo de más. Si piensa que quizá vaya a sobrepasar esos límites, tenga en cuenta que para abaratar el pago de esos kilos de más la mayoría de las compañías aéreas ofrecen la posibilidad de adelantarse y hacer el ingreso online. Pero con la intención de gastarse lo menos posible por el billete, el usuario seguramente prefiera no añadir peso y arriesgarse a llevar lo justo. Piénselo bien, porque si fallan sus cálculos la suma de dinero será mayor que si hubiera contratado el equipaje de más por internet.

Los problemas con el exceso de peso han llevado incluso a algunas aerolíneas a mostrar en sus páginas web cómo debe hacerse la maleta perfecta. Es el caso de EasyJet, que en su portal explica a sus clientes cómo llevar en un equipaje de 20 kilos (el que se permite en esta compañía facturar sin gasto adicional) todo lo necesario para su viaje e incluso aconseja que si vuela en compañía comparta el peso total entre todas las maletas del grupo. Trucos propios de una mentalidad low cost. Y es que por algo la aerolínea británica es una de las que mejor representa el modelo de bajo coste.

Como sardinas en lata

También saben sacar el máximo partido a sus aviones. Las compañías de bajo coste cuentan con flotas muy reducidas y sus aeronaves suelen ser siempre del mismo modelo. Por lo general, son el Boeing 737 y el Airbus 320, porque son más pequeños y están destinados a trayectos de medio y corto recorrido.

Pese a que son aeronaves más reducidas, empresas low cost como Transavia logran aprovechar al máximo el espacio del que disponen. La compañía franco-neerlandesa acostumbra volar con un Boeing 737-800, con capacidad para 186 pasajeros, sacando el máximo partido a un avión que otras compañías como Iberia con su equivalente, el Airbus 320, ocupa con solo 132 personas.

No hace falta ser un genio en matemáticas para darse cuenta de que Transavia ha explotado el espacio del que dispone en su aeronave y ha podido vender cincuenta billetes más para su vuelo.

A solo una hora del centro

Para volar no solo hacen falta alas. En este negocio, tan importantes son los aviones como los aeropuertos de los que despeguen o a los que lleguen. Esos espacios resultan carísimos, pero siempre existe alguna alternativa con la que contar para reducir costes.

Seguro que más de una vez en su vida ha volado con alguna compañía low cost y seguro que en casi todas esas ocasiones ha llegado al aeropuerto secundario de la ciudad de destino. Esto se debe a que el uso de esos aeropuertos implica menores gastos operacionales, pagan menos tasas aeroportuarias y están menos congestionados. Ya vimos que alquilar un mostrador en Barajas podía costar el doble que hacerlo en Valladolid.

Sin embargo, es cada vez más frecuente que compañías de bajo coste operen en aeropuertos principales. Aunque cuentan con menos puertas de embarque, en el aeropuerto de Barajas-Madrid, por ejemplo, EasyJet y Ryanair operan habitualmente en la Terminal 1, Air Berlín en la Terminal 2 y Vueling tiene su sitio en la Terminal 4.

Este logro, y la significativa popularidad que han cosechado entre los turistas, permite que muchas de ellas decidan ampliar su campo de actuación y se aprovechen de la necesidad que tienen algunas comunidades autónomas, al menos en España, de fomentar el turismo. Con la intención de beneficiarse de la llegada de turistas, muchas comunidades ofrecen subvenciones a esas compañías para establecer en sus aeropuertos sus puntos de salida y de destino.

Organizarse para sacar el máximo rendimiento a un espacio determinado es toda una habilidad que demuestran poseer tales aerolíneas. Una ecuación en la que han sabido desvelar la incógnita: el espacio también cuesta dinero, de modo que si logramos desarrollar nuestro negocio reduciendo esa dimensión, podremos ofrecer nuestro producto a un precio menor.

Ahora nos toca a nosotros, como consumidores, decidir cómo queremos volar en los trayectos cortos. Muchos, como nosotras, pensarán, que para dos horas de vuelo no hace falta un asiento de mayores dimensiones ni llegar al aeropuerto principal de destino, porque compensa el precio que el cliente paga y el servicio que recibe por ello. Otros, en cambio, preferirán pagar por llevar más equipaje y disponer de más espacio. Cuestión de gustos.

2. De un solo pantallazo

En internet, las compañías low cost no ahorran reduciendo el espacio, sino que se aprovechan de este amplio universo y lo convierten en un gran bazar, en un gigantesco mercado mundial en el que no existen fronteras, en el que se puede comprar un bolso en China y unos vaqueros en Estados Unidos, y todo ello sin salir de casa.

La red de redes no solo puede plantearse como una gran tienda donde los confines los marca el consumidor, sino también como un inmenso cartel publicitario con multitud de posibilidades. Sin embargo, hasta que no comenzaron las aerolíneas low cost a utilizar internet como única vía a través de la cual adquirir sus servicios, los consumidores seguíamos usando la red como la última alternativa a nuestras compras. Si no encontrábamos lo que buscábamos entre las tiendas físicas de nuestra zona, entonces recurríamos a la web. Y no siempre con toda confianza.

El buen resultado que comenzaba a dar la red en este tipo de adquisiciones «exclusivas» animó a otras compañías a acercarse al mundo virtual para hacer negocio. Aunque de un tiempo a esta parte internet ha dado un paso de gigante como plataforma comercial, su desarrollo ha sido paulatino.

En este inmenso espacio, como cualquier soporte mercantil, la red cuenta con sus propias estrategias de posicionamiento y marketing de las que hacen uso las compañías, tanto tradicionales como low cost.

Imagínese internet como un gran centro comercial. Un enorme mercado donde perderse mirando escaparates, comparando unos precios con otros e informándose de las últimas novedades. Como en un bazar, en la red hay comercios que se encuentran con facilidad y otros que están ocultos. Aquí el espacio también es un elemento clave que puede determinar el flujo de clientes que tiene un establecimiento. En la web una parte esencial será llamar la atención de los buscadores que en el mundo digital suponen la puerta de entrada que usan la mayoría de los consumidores.

«Hazte un Google»

No nos negará que, casi siempre, recurre a estos motores de búsqueda como primera opción para encontrar algún producto o servicio, ¿verdad? El orden en el que aparecen los resultados de páginas como Google o Yahoo depende de varios factores, que son, en definitiva, los que las tiendas virtuales deben tener en cuenta para definir su posicionamiento e intentar atraer clientes.

Aparecer en la «pole position» de esos buscadores puede suponer mayores ventas para un negocio; es decir, será más visible y estará aprovechando el espacio que le concede la red. Pero no es sencillo para un establecimiento saber cómo estar entre las diez primeras búsquedas que son las que, en definitiva, consulta la mayoría de los usuarios.

A pesar de esta gran incógnita, que es objeto de estudio y de investigación en más de una escuela, existen algunas reglas básicas que ayudarán a ese establecimiento a subir posiciones: no debe programar su página web en flash, y no debe usar tablas ni etiquetar todas las imágenes que utilice. Todo un trabajo de programación que se verá compensado.

No solo eso. Una parte esencial de este tipo de posicionamiento son las palabras clave que se utilicen para describir el negocio; es decir, aquellas que usaremos los consumidores para buscar ese servicio. Si usted se dedica al delicioso arte de la restauración y quiere «vender» su negocio a través de la red para atraer a más comensales, deberá utilizar expresiones como: «menú especial», «menú para grupos», «carta de vinos», «cena romántica», etcétera. En definitiva, simplemente habrá de procurar conocer a su cliente para saber qué es lo que este busca y la mejor forma de ofrecérselo a través de una pantalla de ordenador.

Pero también es posible estar entre los tres o cuatro primeros resultados de Google previo pago de cierto importe. Algunas compañías compran esos emplazamientos clave porque saben que aparecer en el primer pantallazo de un importante buscador es sinónimo de mayores clics y puede reportarles más clientes.

Comprar en cualquier parte

Ya sabe que el espacio en la red es relativo. Desde un ordenador en Granada pueden realizarse compras en Tokio sin moverse del sofá. Cuando nos plantamos ante la pantalla y navegamos por internet en busca de algún producto que nos satisfaga, tenemos la oportunidad de viajar a las tiendas de medio mundo. Sin embargo, algunos investigadores, como el profesor de marketing de Wharton David R. Bell, creen que el comportamiento a la hora de consumir y comprar depende del espacio geográfico. El entorno físico acaba determinando lo que se hace en el entorno online.

Aunque internet ofrece infinitas posibilidades, los consumidores continuamos viviendo en el mundo analógico y nuestras decisiones, también las comerciales, suelen basarse en las necesidades cotidianas propias de un contexto offline. Además, los comercios locales acostumbran ser suficientes para satisfacer los requisitos básicos de la población. Por eso mismo se saca tan poco rendimiento a ese gran escaparate mundial que ofrece internet. Y, curiosamente, quienes más se acercan a la red como vehículo de compra son las minorías, las personas cuyas necesidades de consumo resultan diferentes a las de la mayoría de la gente de su entorno geográfico. Al menos sucede así en algunos sectores en los que la venta online todavía no está tan consolidada.

Imagine, por un momento, que usted es un amante de la literatura de ficción y que vive en un pequeño municipio que no cuenta con ninguna tienda donde comprar los últimos libros que desea adquirir. Seguramente acabará navegando por la red en busca de alguna tienda online donde los localizará y podrá recibirlos en casa. En este caso estaría sustituyendo las compras físicas por las digitales porque no le habrían dado otra opción. Aunque las compras por internet cada vez son más frecuentes, todavía somos reacios a utilizarlo como una herramienta habitual de consumo. Aún le somos más fieles a internet como instrumento de búsqueda de información que como herramienta de compra.

Nuestro apego a la sociedad en la que vivimos y nuestras costumbres comerciales quizá expliquen por qué la geografía todavía sigue teniendo importancia en las ventas online. No se vende de la misma manera en un pueblo de Michigan que en uno de Albacete. Los vecinos de estas localidades no presentan las mismas características, de modo que reclaman productos completamente diferentes. Y es que, a pesar del gran mercado global que es internet, los gustos y las preferencias de los consumidores siguen estando determinados por su situación geográfica, su ciudad, su país, y la sociedad. Quizá por eso mismo el diseño de una página web «made in Spain» difiere bastante de una realizada en China.

Jugar con el espacio

Como ya hemos explicado, aunque los motores de búsqueda continúan siendo la entrada principal de los potenciales compradores online, el constante estado de cambio en el que se encuentra la red ha abierto nuevas puertas. El desarrollo de internet como plataforma comercial ha propiciado el nacimiento de las páginas de cupones u otro fenómeno que podría considerarse la evolución de la venta por catálogo. El correo electrónico se convierte, pues, en una nueva forma de acceder al público.

La primera toma de contacto con esas páginas es su atractivo diseño, utilizado estratégicamente como una fórmula de marketing que se limita a una simple pantalla de ordenador.

Una de las que más éxito está cosechando es Groupon. Esta web especializada en ofertas ha sabido aprovechar al máximo el espacio que le ofrece la red. Supo valerse del correo electrónico como principal medio publicitario, superando a los incrédulos que la tomaban como «spam». Pero si usted pretende navegar sin más por su página web, deberá antes hacerse miembro. Y es que apenas encontrada la página, Groupon le recibe con un gigantesco reclamo publicitario, una enorme oferta de algún restaurante, hotel o spa, y le incita a seguir investigando. Tan solo unos segundos más tarde la página se oscurece y aparece un gran cartel que le pide su correo y su contraseña para seguir con la búsqueda de ofertas. Imagíneselo como un importante club privado con una larga cola de gente esperando en la puerta. Es un buen uso del espacio el que Groupon hace, una forma de decir al interesado que ese local está reservado únicamente para socios.

El caso de Groupon y el de las páginas de cupones y los clubes de venta privada, en general son bastante particulares porque su negocio, como hemos explicado en capítulos anteriores, se basa en la habilidad para otorgar apariencia de exclusividad a la venta de marcas con importantes descuentos. Por eso necesitan el registro como parte fundamental de su estrategia. Y utilizan el espacio, o el veto del mismo, como maniobra para despertar la curiosidad del consumidor. Es un lugar restringido con ofertas excepcionales, pero solo accederá a ellas quien sea socio.

Cualquier negocio que quiera triunfar en internet debe tener en cuenta el espacio por el que se mueve. Ya no está en una calle concurrida o en un centro comercial y debe adecuarse a unas reglas. Las ofertas y las grandes promociones deben saltar a la vista de cualquier internauta que solo esté mirando. Visite la página web especializada en ofertas Atrápalo. Constatará que su portal lo recibe con sugerentes descuentos para hacer algún viaje, asistir a algún espectáculo o cenar en un restaurante. Cada una de ellas destaca de tal forma que, seguramente, querrá seguir indagando en el atractivo precio. Pero los euros no serán lo único que le lleve a seguir navegando entre sus promociones. El color de la página, su armonía o su tipografía, todo ello está especialmente pensado para encandilarle. La página conseguirá crear en usted una sensación de tranquilidad o de descanso con fotos de playas paradisiacas si busca un viaje o le sorprenderá con imágenes más activas si se encuentra a la caza del espectáculo más sorprendente. Un astuto trato del espacio.

Tanto Atrápalo como otros negocios que operan íntegramente en internet saben que su página debe atraer la atención con diseños que evoquen lo que el cliente está buscando. Los pasos por las webs son muy cortos y acelerados. Normalmente, cuando buscamos un determinado producto o un servicio no nos detenemos en un primer momento más que en el precio. Una vez mordido el anzuelo, si nos atrae una oferta, frenamos para consultar las condiciones. Es en ese momento cuando nos detenemos y damos a la página la oportunidad de convencernos.

Por eso mismo, una tienda que pretenda hacer dinero en internet debe ofrecer, desde el primer vistazo, el mejor reclamo de su negocio. Si es un hotel, quizá intercale imágenes de sus mejores habitaciones, de sus instalaciones deportivas o de relax y del paraje donde está situado, con ofertas puntuales. En internet, la primera impresión cuenta mucho.

El diseño de sus páginas debe ser limpio, práctico y fácil de manejar, y ha de tener en cuenta que el empleo de los colores es esencial. No es para menos. ¿No se había dado cuenta de que el azul produce calma o que el amarillo transmite diversión? Cada web, dependiendo de la reacción que busque en su cliente potencial, deberá utilizar unos u otros colores.

En dos dimensiones

Sacar el mayor rendimiento a cualquier dimensión del espacio es el propósito con el que nacieron las filiales online de las tiendas físicas. Quizá algún empresario pensó que si ya había tenido éxito en el escenario analógico por qué no habría de tenerlo igualmente en el digital.

Como con todo en internet, el desarrollo y el crecimiento de las sucursales online de tiendas físicas ha sido rapidísimo. La evolución de la red como medio comercial las empujó a abrir delegaciones digitales para atraer a los clientes online. Concedieron importancia al espacio en internet porque este les permitía un nuevo escaparate al alcance de cualquiera.

Sin embargo, los clientes fieles a estas marcas no suelen utilizar internet como vehículo habitual para comprar en ellas. Sigue habiendo demasiada dependencia del mundo analógico. Quizá, por este motivo, no son pocas las que deciden ocupar un espacio en el escaparate de páginas como LetsBonus y BuyVip, y utilizar sus páginas web como catálogos o guías informativas sobre sus servicios.

La red ofrece un espacio de oportunidades donde no solo es posible vender productos o servicios, sino también informar de las virtudes de un negocio como vitrina de sus artículos. Y nosotros, los consumidores, debemos conocer los instrumentos de los que se valen esas empresas para intentar captar nuestra atención.

3. Espacios que pueden tocarse

Apagamos el ordenador y nos vamos al súper. Las grandes tiendas de autoservicio están diseñadas para atrapar al consumidor. Sus laberínticos pasillos, su organización por grupos de productos e, incluso, la pequeña desviación que suelen sufrir los carritos de la compra están pensados para enredar al cliente y «convencerle» de realizar adquisiciones que no tenía planeadas.

Hagamos la lista de la compra. Vamos a comprar dos cartones de leche desnatada, un paquete de arroz blanco, una botella de lejía perfumada, una caja de galletas y unas fresas. Llevamos en el bolsillo 15 euros en efectivo. Tenemos claro que la compra no superará esa cantidad así que ponemos rumbo al súper.

Cuando llegamos, caemos en la cuenta de que se encuentra haciendo esquina en una calle pequeña y cerca de un paso de cebra. ¿Alguna vez ha pensado en el porqué del lugar en el que se construyen los supermercados? Quizá debería, pues no es casual que estos centros se dispongan cerca de pasos de peatones. Estos cruces en las calles de cualquier ciudad obligan a los transeúntes a detenerse y, mientras esperan a que cambie de color el disco, solo pueden observar el supermercado, que domina casi todo su ángulo de visión. Durante esos minutos, el centro no pasa desapercibido para nadie que espere a cruzar la calle y, por ende, a muchos se les puede pasar por la cabeza darse una vuelta por la tienda aunque no lo tuvieran planeado de antemano.

Tampoco es fortuito encontrar calles en las que convivan varios supermercados de diferentes firmas. Lo que podría suponer una fuerte competencia no es tal, pues los clientes entran a su establecimiento de confianza con la garantía de que si allí no encuentran lo que buscan tienen otro súper al lado. Y no solo pasa con este tipo de centros comerciales. ¿No conoce ninguna calle que esté «especializada» en un determinado producto o servicio? Nosotras sí. La calle Barquillo de Madrid, por ejemplo, es conocida por sus tiendas de imagen y sonido. Prácticamente toda la calle está dedicada a este sector, y no somos pocos los que la elegimos como primera parada cuando queremos encontrar artículos como alguna bombilla especial, entre otros.

Una vez conocido el porqué de la localización de los supermercados, entramos en uno de ellos. Allí, pese a que no vamos a efectuar una gran compra, decidimos coger un carro. Queremos comprobar si es cierto eso que dicen: siempre se desvían a la izquierda.

Metemos la moneda en la ranura y soltamos nuestro carrito del resto de la fila. Constatamos que nuestro «bólido» se va, ligeramente, hacía la izquierda. Investigando para el libro, dimos con una explicación a este hecho. Según hemos podido conocer, algunos supermercados trucan sus carritos para que estos sean más difíciles de manejar y, así, asegurarse de que el cliente tenga que ir más despacio por los pasillos. Que se desvíe hacia la izquierda y no hacia la derecha tampoco es casual. Está comprobado que los supermercados están diseñados para que recorramos su perímetro interior y la pared, así, siempre nos quede a nuestra diestra. Si nuestro carro se va hacia la izquierda, tendremos que hacer fuerza con la mano zurda para seguir un rumbo recto y la otra mano nos quedará libre para coger los productos.

Para rizar más el rizo... ¿Se acuerda de cómo eran los carritos de hace veinte años? Seguro que los recuerda más pequeños que los de ahora, ¿verdad? Y no son caprichos de la memoria. Es que en verdad eran más reducidos. Que hayan ido haciéndose más grandes con el tiempo es otra técnica de marketing: cuanto mayor es el recipiente, más cabe dentro.

Mientras disertamos sobre el volumen de nuestro carrito, pasamos por los pasillos sin fijarnos en que los productos que nos ofrecen no están colocados en los estantes por azar. Todo ese aparente orden que nos rodea responde a un objetivo: que el cliente compre más de lo que había planificado.

Cualquier supermercado cuenta siempre con productos que, seguramente, los clientes tienen previsto comprar, como la leche; también ofrecen artículos que consideran que nos atraen porque son de temporada, como las fresas, y con los denominados «básicos», que aunque no estén en la lista de la compra nunca sobran, como el papel higiénico. Estas clasificaciones están bien estudiadas por cualquier supermercado, de modo que los artículos de primera necesidad se encontrarán al fondo de los pasillos, algo más escondidos, para que, mientras va a la búsqueda de ellos, repare en otros que quizá le resulten atractivos por su precio, por alguna oferta que los acompañe o, simplemente, porque crea que los necesita.

La estrategia del posicionamiento no termina aquí. Por lo general, los artículos que más se ven y, por tanto, también los que más se venden son los que se encuentran en los extremos de los pasillos, pues son lugares por donde siempre pasaremos en nuestro recorrido. Estos productos tienen que pagar al supermercado por ocupar ese lugar privilegiado.

También es bastante usual que, periódicamente, los supermercados cambien sus productos de sitio. Saben que los clientes fieles a su establecimiento conocen a la perfección dónde están los artículos que suelen comprar. Por tal motivo deciden recolocar sus productos, para que los compradores se vean obligados a mirar los estantes para encontrar lo que andan buscando. De esta manera, los clientes descubren nuevos productos en los que no habían reparado antes porque siempre seguían una ruta determinada.

En nuestro periplo por el súper, nosotras mismas caímos en la trampa y compramos algunos productos que no habíamos incluido en nuestra lista inicial. Pero, ni por asomo, llegamos a ser víctimas del juego con el espacio del que se valen estos grandes centros. Pese a que pusimos en nuestro carrito un par de productos más de los previstos, nuestra factura no superó los 15 euros que llevábamos para realizar la compra. Nuestra arma secreta para esta victoria fue la lista que habíamos hecho.

Cada vez es más habitual salir a comprar sin haber elaborado, previamente, un inventario de los productos que nos hacen falta. Y los expertos en marketing lo saben. Sin lista, es mucho más sencillo caer en sus estrategias, pues no vamos con ideas predeterminadas ni a por artículos concretos. Sin esa relación de artículos previa, podemos llegar a ser marionetas en manos de este tipo de tácticas.

Paseamos por el súper fijándonos en esos pequeños detalles, mientras revisamos nuestra lista y nos dirigimos a la zona de desayuno. Vamos a por nuestras galletas. Como no somos muy marquistas, nos detenemos ante el estante de las mismas para elegir los que más nos convenzan, y descubrimos que las que están en un lugar privilegiado son las más caras. ¡Están a la altura de nuestros ojos! Y caemos en la cuenta de la argucia. Al supermercado le interesa que adquiramos ese artículo más caro para engordar nuestra factura final. Pero nos decantamos por unas galletas que están unas baldas más abajo. Son más baratas y ya las hemos probado, por lo que sabemos que son buenas.

Las galletas más caras tendrán que esperar a otra ocasión. Y eso que han invertido más dinero que las que nosotras hemos comprado para estar en esa posición destacada. Es su manera de dar la cara. Los productos que los clientes vemos colocados en los estantes del supermercado se están presentando al público. Su imagen y la posición en la que se encuentran en esos estantes son su tarjeta de visita en un supermercado. Por eso, a las marcas blancas les costó hacerse un hueco entre los usuarios de estos centros, porque lo único que mostraban eran unos rótulos sencillos que indicaban qué tipo de producto era sobre un fondo neutro. La evolución que han experimentado, los trucos de los que se han valido para atraer la atención del público y, sobre todo, su precio las han convertido en la primera opción de muchos clientes.

La marca blanca de galletas que, al final, hemos adquirido no se encontraba ubicada en una buena posición. La habían colocado en las últimas baldas de la estantería, pero, aun así, se vende. Su atractivo es el precio y la calidad que el cliente recibe por lo que paga.

Realizada nuestra compra, nos dirigimos a la zona de las cajas. Nos damos cuenta de que, durante nuestro paseo por el supermercado, no nos hemos topado con ninguna ventana que nos permita ver la calle. Esta es otra estrategia del uso del espacio. Al no contar con más cristalera que la que nos recibe cuando entramos a comprar, no podemos saber cuánto tiempo estamos en el establecimiento. Es una táctica que busca que los clientes no se preocupen demasiado por las horas que pasan en el local.

Mientras hacemos cola para pagar, nos detenemos a mirar los muestrarios de pilas, chicles y dulces que engalanan las cajas y no podemos evitar preguntarnos por qué colocan ahí esos artículos. ¿Alguna vez se lo había cuestionado? La verdad es que nosotras no hasta que comenzamos con la investigación para el libro. Se disponen justo en las cajas para que el cliente los coja por impulso. Normalmente, no vamos a un supermercado para comprar esos productos ya que acostumbran ser más caros, por lo que el establecimiento se ve obligado a colocarlos ahí para que los veamos y los compremos. Al ir a pagar, el cliente recordará que le faltan pilas para la radio del comedor, y ahí las tiene, al lado de los chicles y de las chucherías que comprará por capricho mientras espera en la fila para irse a casa.

Este tipo de estrategias no son exclusivas de los autoservicios. En otros establecimientos también se usan. Recuerde, por ejemplo, dónde colocan los bares las máquinas tragaperras y las expendedoras de tabaco, o por qué las tiendas de moda siempre destacan las prendas más caras y de temporada de las que están de saldo. La posición de las escaleras mecánicas en unos grandes almacenes tampoco es por azar. Todo tiene una razón y un objetivo. Nada está ahí porque sí.

Con faldas y a lo loco...

Seguimos de compras, pero esta vez nos acercamos a una tienda de moda urbana. Nada más entrar nos envuelve el ambiente casual y divertido. La música está realmente alta y nos traslada, sin querer, a otro escenario: uno alegre, jovial, sin preocupaciones. Nos imaginamos con esas camisetas, esas faldas y esos vaqueros en una atmósfera agradable.

Que la música esté muy alta tampoco es por antojo del gerente. Está comprobado que cuanto más alta está la melodía que escuchamos más rápido hacemos las cosas. En tiendas como Zara, Mango o H&M el hilo musical se reduce a música disco, tecno y house. Música que evoca otra situación, que incita a ir más acelerado y que te detengas menos en reparar en los pequeños fallos que puedan tener las prendas y en su precio.

La luz blanca es otra estrategia. La mayoría de las tiendas de moda cuentan con una potente iluminación que subraya los colores de las prendas que exponen en sus estanterías. Un buen uso del juego de luces puede incitar a los clientes a que compren más. Y es que está demostrado que la luz puede influir sobre el humor y el comportamiento de las personas. No actúan igual aquellos que viven en una zona soleada que los que conviven con cielos grises. Los primeros suelen ser más optimistas, más animados, mientras que los segundos son más apagados. La luz desprende vitalidad, resalta los colores, los tonos y las formas.

La iluminación también sirve para guiar al cliente en su recorrido por las tiendas. Estas usan lo que se denomina «alumbrado direccional», con el que persiguen dirigir al cliente hacia los artículos que quieren vender. También emplean la luz para provocar la sensación de amplitud, para que parezca que la tienda es más grande, con techos más altos, más impresionante.

Las vitrinas, donde, en la mayoría de los casos, se exhiben artículos de bisutería, están tres o cuatro puntos mejor iluminadas que el resto del establecimiento. Y no es una tontería. Como si fuéramos urracas, los clientes nos acercamos a estos escaparates para ver qué está expuesto en ellos.

Los probadores también son un punto caliente en estos establecimientos. ¿Quién no ha pensado alguna vez que los espejos de esos vestidores están trucados? No en pocas ocasiones, nos probamos en nuestra casa ese traje que en el probador nos sentaba como un guante y comprobamos que no nos queda tan bien como en la boutique. Hay quien dice que esto se debe a que los espejos de esos establecimientos están ligeramente desvirtuados para que nos veamos más atractivos y, de esta manera, compremos las prendas que nos probamos. Pero la luz también tiene mucho que ver con este asunto. Una iluminación agradable que destaque los colores de las prendas y evite sombras que puedan afear la figura del cliente mientras se está probando algún trapito es importante. Y es que, quizá, no se trate tanto de espejos cóncavos o trucados, sino del buen juego de luces que use la tienda en ese rincón.

Dónde están las escaleras mecánicas

Frente a la boutique en la que hemos estado probándonos ropa, nos encontramos con unos grandes almacenes y decidimos entrar para dar una vuelta. Comprobamos que el establecimiento hace buen uso de la teoría de los pasillos laberínticos, por lo que hay que dar unas cuantas vueltas para encontrar de nuevo la salida.

¿Quién no se ha perdido más de una vez por los pasillos de unos grandes almacenes buscando las escaleras mecánicas? Y es que todo tiene truco. Algunos establecimientos están diseñados como un gran laberinto de firmas, pasillos idénticos que obligan al cliente a deambular en círculos y con gran cantidad de artículos por todas partes. Con esta estructura, los vendedores pretenden desorientar al comprador para que, en su confusión, descubra artículos que acabe comprando.

El malestar que puede producirle no encontrar las escaleras mecánicas para bajar a la entrada acaba desvaneciéndose. La desesperación suele dar paso al aturdimiento y este al conformismo. La mayoría de los clientes terminan dejándose llevar por el juego de luces, la música y los pasillos interminables. Pero no desespere: normalmente las escaleras de bajada suelen disponerse en el lado opuesto a las de subida.

SIGA LA FLECHA

Dejamos las compras en casa y cogemos el coche. Necesitamos una nueva mesa de escritorio y decidimos acudir a Ikea. La firma sueca ha sabido ganarse a los clientes con muebles de diseños originales y divertidos a precios para todos los bolsillos.

Pero la base de su negocio no es lo único con lo que juega para atraer a los consumidores. Ikea ha sabido sacar el máximo partido a las estrategias del marketing posicional. Detrás de la llamada «Experiencia Ikea» se esconde una fórmula bastante acertada para intentar que ninguno de los que entra en la tienda salga sin alguna compra hecha.

Nosotras participamos en el ritual. Llegamos a la tienda con su último catálogo bajo el brazo, con la mesa elegida y las medidas tomadas. Nada más entrar por la puerta nos encontramos una ruta ya trazada con flechas en el suelo que nos indican en qué sentido tenemos que caminar. Aunque ya sabemos qué escritorio queremos comprar, el diseño de la tienda nos obliga a recorrer primero la zona de exposición de todos los productos. Pasamos por cada una de las zonas propias de una vivienda: cocina, baño, dormitorio, salón, despachos y artículos de jardinería. Todo está colocado en escenarios hogareños y originales que nos ofrecen nuevas ideas para la decoración de nuestra propia casa y que nos incitan a comprar más artículos por impulso.

Como nosotras vamos con las ideas claras, paseamos por la tienda siguiendo el camino de flechas blancas sin detenernos demasiado en los originales ejemplos de decoración que exponen. Sin embargo, Ikea sabe que los clientes que se acerquen a la tienda sin una idea preconcebida serán más fáciles de engatusar con los escenarios propuestos.

En todas esas áreas nos encontramos con bolsas, carritos, cuadernos y lápices para apuntar las referencias de los productos que vemos expuestos. Es decir, el establecimiento nos ofrece todas las facilidades posibles para que caigamos en la tentación de comprar de más. Y a la vez decora sus escenarios seudodomésticos con objetos como velas aromáticas o pequeñas lámparas a precio de saldo a los que pocos se resisten.

Una vez recorrida toda la zona de exposición, se llega a la de almacén, donde los clientes pueden recoger los productos que han seleccionado durante su visita y pasar por caja. Casi todos los artículos se venden sin montar, en piezas que el cliente debe unir cuando llega a su casa. Y si quiere que se lo lleven a su domicilio, tendrá que pagar el transporte como un extra.

Pero nuestra visita a la tienda no termina con este trámite. La «experiencia Ikea» no solo se reduce a visitar sus instalaciones y comprar sus productos. El espacio del que dispone se completa con una tienda de alimentación de productos suecos, que pueden despertar la curiosidad del que se acerque y aumentar las ventas de la firma, y con una cafetería donde descansar de las compras tomándose un refresco y algo de comer. Además, los precios son bastante atractivos. Unas albóndigas pueden costarle, como mucho, 2 euros, y si compra un refresco podrá rellenarlo tantas veces como quiera.

Un día en el centro comercial

Contar en un mismo espacio con tiendas que sacien sus ganas de consumir, con cafeterías donde pueda tomarse algo tras las compras e, incluso, con cines en los que disfrutar de los últimos estrenos es la idea con la que nacieron los centros comerciales, que pretenden ser una gran área de consumo y ocio; en definitiva, una opción para pasar todo el día allí.

En estos centros comparten el mismo espacio tiendas de moda de diferentes firmas, establecimientos de electrodomésticos, ópticas, zapaterías e, incluso, cafeterías y restaurantes. Son una especie de pequeña ciudad comercial con varias ofertas para los mismos artículos. Y funcionan. Las tiendas que tienen alquilado un local en alguno de esos centros saben que van a hacer caja aunque su vecina venda el mismo tipo de producto que ellas, pues conocen cómo actúa el cliente: este va con la excusa de darse un paseo y suele comprar muchos más artículos de los que tenía pensado sin ser fiel a ninguna firma en concreto.

En casi todos esos centros acostumbra haber un supermercado que sirve como gancho. Si usted decide ir a hacer la compra a un hipermercado que se encuentra integrado en un centro comercial puede caer en la tentación de darse una vuelta por sus instalaciones y comprar alguna cosilla que no tenía planeada, o bien, sentarse a tomar algo en alguno de los locales que conforman su oferta de ocio. Y es que esos centros pretenden ser la alternativa contemporánea a la plaza del pueblo, el lugar donde se reunían los vecinos de una localidad para hacer sus compras, comentar los asuntos de interés y pasar el día.

La disposición de las tiendas no es casual. Suelen estar organizados por áreas: una planta para ropa, otra para alimentación y restaurantes, y otra para el ocio. De esta manera no generan competencia entre firmas, sino que la incentivan, pues si en uno de los establecimientos por donde el cliente pasa no encuentra esa camisa que andaba buscando quizá la encuentre en las tiendas contiguas.

Los centros comerciales suelen plantearse como lugares amplios y luminosos, en los que el cliente puede pasear sin agobios mientras mira los escaparates que bordean los pasillos. Pero no todos cuentan con las mismas dimensiones, pues estas van desde los 5.000 metros cuadrados hasta los 80.000.

Independientemente de su tamaño, el objetivo de estos centros es que no solo pase un par de horas en ellos para realizar sus compras, sino que planifique todo un día de consumo y ocio sin salir de sus instalaciones.

El espacio geográfico es un elemento clave a la hora de determinar los precios de un centro comercial. Las tiendas que alquilan esos locales estudian la economía del municipio donde se proyecta instalar el centro y deciden los productos que ofrecerán y fijan sus precios. Esto explica por qué los precios de una misma tienda de moda difieren en unos euros si se encuentra en un centro comercial de un municipio menos pudiente que en uno de una zona adinerada.

Y no solo pasa con los centros comerciales. Algunas marcas, como ya comentamos en capítulos anteriores, varían sus precios de una tienda a otra en función del producto interior bruto de la localidad en que se instalen.

«Su tabaco, gracias»

Responda sin pensar: ¿Dónde están las máquinas expendedoras de tabaco en los bares y dónde las tragaperras? Seguro que coincidirá con nosotras en que las primeras se encuentran habitualmente en la zona de los baños, mientras que las segundas suelen colocarse al lado de la puerta. No siempre, pero en la mayoría de los casos estos son los lugares destinados a esos «artilugios». Pero ¿por qué?

La respuesta es simple. Normalmente no suele comprarse tabaco en los bares. Para eso están los estancos. Y si nos permite el paréntesis, como consumidoras low cost le aconsejaremos siempre, en el caso de que sea fumador, comprar el tabaco en esas tiendas especializadas. Como le decíamos, los bares no son lugares destinados a la venta de tabaco. Su negocio se fundamenta en el servicio de bebidas y comidas. Las máquinas de tabaco tan solo son «una atención», como una vez nos confesó un camarero, que tienen con los clientes. Pero ¿en serio cree que un empresario tendría un gesto amable con cualquiera de nosotros sin esperar una contrapartida? Sí, es cierto que en los bares el tabaco es 15 céntimos más caro, pero eso no es la compensación que buscan.

La máquina de tabaco suele estar al fondo del bar porque para llegar a ella es necesario que el usuario recorra todo el establecimiento de modo que, quizá, ese fumador que solamente había entrado para comprar una cajetilla se quede a tomar una caña de cerveza.

En el caso de las tragaperras, lo que busca el dueño del bar al colocarla al lado de la puerta es evitar que los clientes abandonen sin más el local. Las estridentes luces, los llamativos colores, la música pegadiza y, sobre todo, la ilusión de tentar a la suerte suele bastar para atraer la atención de alguno de los clientes del bar. Antes de salir, estos se fijarán en la máquina y, si les ha sobrado alguna moneda, a lo mejor la echarán en las tragaperras y se quedarán un rato más.

4. Con una operadora, por favor

Muchos negocios, que nacieron sin sedes físicas para ahorrarse esos costos y de esta manera ofrecer mejores precios, han visto como sus clientes reclamaban un lugar donde solventar sus dudas, donde plantear sus quejas y reclamaciones.

Ya hemos explicado que los consumidores estamos muy apegados todavía a nuestro ámbito geográfico y exigimos, en la medida de lo posible, la versión «analógica» de algunos negocios virtuales. Sobre todo, en el caso de aquellos cuyas características pueden plantear dudas que necesitamos resolver a través de la atención personalizada de algún empleado especializado en la materia.

Piense en Yoigo, por ejemplo. Esta compañía nació con la pretensión de convertirse en el primer operador de telefonía móvil de bajo coste en nuestro país. Sin embargo, su evolución derivó hacia una empresa que en poco difiere de las tradicionales.

En un primer momento se creó sin sede física, pero las demandas de sus clientes la han obligado a abrir tiendas a pie de calle. Sus anhelos comerciales la empujaron a regirse por las mismas reglas —o casi— que los grandes operadores: comenzó a «regalar» terminales previo contrato de permanencia, empezó a ampliar su catálogo de tarifas y quiso incrementar su espectro de clientes con tiendas físicas como reclamo.

La banca online ING también se vio obligada a abrir oficinas. Pero en su caso este hecho no respondía a la necesidad de aumentar cuota de mercado, sino a la de mantenerla. Para un negocio como el de la banca, que se basa en la confianza del cliente, no disponer de oficinas físicas donde este pueda acercarse para reclamar algún servicio es un hecho que puede pasar factura. Por eso mismo, el banco que hacía «fresh banking» también tuvo que inaugurar sucursales físicas.

Sin embargo, no son pocos los que deciden atender las exigencias de su clientela, pero con límites. Un ejemplo claro lo encontramos en Uno-e. Esta entidad online solo dispone de una oficina en toda España a la que acudir cuando las operaciones o los servicios que el cliente necesita pueden ser atendidos solo en una sucursal y por un empleado especializado.

Se da cuenta ahora de que nunca se da puntada sin hilo, ¿no? Las tiendas quieren vender más y gastar menos. Ahorran espacio, lo aprovechan y lo utilizan para atraer a los clientes como moscas a la miel. Saben cómo jugar con las formas y los colores, con la colocación de sus productos y con los reclamos publicitarios. Siempre hemos sabido que ninguna dimensión es ajena a las tácticas de marketing de las empresas. Ellos desean vender y nosotros nos dejamos querer. Lo importante es tener claro que a veces nuestros movimientos consumistas no están guiados por el deseo repentino de comprar, sino por una mano invisible que coloca los artículos más atractivos al alcance de nuestras miradas.

GUÍA PRÁCTICA: ¿Qué papel desempeña el espacio en nuestras compras?

- **Sin espacio que perder.** Las aerolíneas low cost ofrecen vuelos más baratos, en gran parte porque ahorran en espacio. El cliente volará con menos comodidades, pero llegará a su destino por mucho menos dinero.
- **¿No lo encuentra en Google?** Quien busca gangas en internet casi siempre se sirve de Google. Pero las mejores ofertas no tienen por qué aparecer en la primera página de resultados del buscador. Intente ir más allá y navegue por la red.
- **El orden de los productos sí altera el resultado.** La colocación de los artículos responde a una estrategia de marketing. Intente no caer en esas maniobras y compre siempre lo que le guste, independientemente de dónde esté situado.
- **Vístase despacio que tienen prisa.** En las tiendas de moda la música, la luz y el desorden invitan a los clientes a una compra relámpago. Pretenden que entre, mire, elija y salga del local lo más rápido posible. No les dé el gustazo. Tómese su tiempo.
- **Por teléfono o en persona.** Los operadores low cost no cuentan con sede física a la que ir a pedir cuentas. Por eso mismo cuidan su servicio de atención al cliente. En el caso de la banca, es más complicado renunciar a las sucursales. ¿Dónde iría a quejarse el cliente de no ser por las oficinas?

Capítulo 8

Sobre quejas, protestas y reclamaciones

Lo barato a veces sale caro. Esta popular expresión se hace evidente, en más de una ocasión, entre todas las ofertas y los descuentos que nos han traído hasta aquí a lo largo del libro. Tranquilo, que no vamos a echar por tierra todo lo que le hemos enseñado para decirle que le timarán en cuanto se despiste, pero queremos que tenga en cuenta que un consumidor inteligente también es un comprador que conoce los riesgos. Hemos comentado el caso de empresas que quieren ser low cost pero no lo son, de las que nacieron como compañías de bajo coste pero han dejado de serlo, y de otras que han llevado al extremo los recortes hasta devaluar el concepto del término y, lo más importante, la calidad de los productos y servicios. A diario afloran las quejas, críticas y reclamaciones que minan la imagen de las verdaderas compañías de bajo coste.

Por eso mismo es pertinente dar un repaso a las quejas y los problemas más frecuentes que se producen en casi todos los sectores low cost. Así no le cogerán desprevenido, aunque si ha tomado nota de los mismos en los capítulos anteriores, todo esto debería tratarse como simples anécdotas.

1. El vuelo barato más caro del mundo

Las aerolíneas de bajo coste hacen todos los recortes posibles para ofrecer tarifas más económicas. Ya se ha visto que apuran el espacio en los aviones, que sus políticas son estrictas en cuanto al peso de las maletas o que sancionan a sus clientes si no llevan la tarjeta de embarque impresa desde casa. Pero ¿hasta qué punto estas medidas son legales?

La misma pregunta se la hicieron en 2008, 157 pasajeros de aerolíneas low cost que se vieron obligados a pagar de más al adquirir sus billetes. Consideraban que habían sido víctimas de publicidad engañosa, pues el precio de los pasajes anunciados nada tenía que ver con lo que se cobraba en la factura final. La indignación de estos pasajeros los llevó a denunciar por prácticas abusivas a cinco low cost ante la Agencia Catalana de Consumo. En 2010 esta agencia condenó a Ryanair, EasyJet, Transavia, Clickair y Vueling a devolver el precio de los billetes a esos clientes y a pagar una multa. Vueling y Clickair (en la actualidad, fusionados en Vueling) fueron sancionadas con 40.000 y 56.400 euros, respectivamente; EasyJet con 17.800 euros y Transavia Airlines con 4.000, por tener activada por defecto la casilla de contratación del seguro, cobrar por la facturación de la maleta y por el pago con tarjeta de crédito. Por su parte, Ryanair, fue multada, además, por publicidad engañosa. Y es que poco tenían que ver los precios que anunciaba con la tarifa por la que después vendía los pasajes. En total, la multa de la aerolínea irlandesa sumaba 31.500 euros, a lo que tuvo que añadir el coste de los billetes que devolvió a los pasajeros por el cobro de claúsulas abusivas.

Las sanciones a las aerolíneas low cost en España han comenzado a multiplicarse desde hace unos años. Sin embargo, de poco parecen servir, pues la mayoría de estas compañías aéreas consideran tales decisiones judiciales no competentes. Y la que se lleva la palma es Ryanair.

Buen ejemplo de ello fue la sentencia que dictaminó un juzgado de Barcelona a principios de 2011. La decisión de la aerolínea irlandesa de no permitir el acceso al avión a unos pasajeros que se habían negado a pagar los 40 euros de multa por no llevar la tarjeta de embarque impresa fue motivo suficiente para que ese juzgado de la Ciudad Condal sentenciara que tal práctica era ilegal al considerarla falta grave sancionable con hasta 30.000 euros. La base de dicha sentencia era que la tarjeta de embarque no es un servicio adicional, sino que está incluido en la reserva del vuelo. Ryanair no creyó vinculante la decisión del juzgado de Barcelona y decidió seguir con sus prácticas habituales.

Tampoco valió de mucho el dictamen de un juzgado alicantino en el que se desestimaba la petición de la aerolínea irlandesa de embarcar y desembarcar a sus pasajeros a pie, en lugar de utilizar las nuevas pasarelas del aeropuerto. Según Ryanair, el uso de ese sistema hacía perder tiempo y, por tanto, la hora de salida de sus vuelos podía verse afectada. Según la sentencia, el retraso motivado por el nuevo uso de las pasarelas no superaba el 5 %, de manera que no concurría en riesgo de perjuicio irreparable. Y como este ejemplo prodríamos citar muchos más.

La compañía se ha llegado a enfrentar en España a más de setenta denuncias por prácticas abusivas y fraudes e, incluso, ha llegado a pedir al gobierno español la retirada de dichas multas a cambio de seguir ampliando o manteniendo sus operaciones. Suena a chantaje, ¿verdad?

Aunque ninguna de esas multas aluden a la seguridad en los vuelos, las técnicas para exprimir al máximo sus viajes a veces ponen en duda también este aspecto. En nuestro último vuelo a Santiago de Compostela, un fallo en el avión nos mantuvo una hora más en el aire antes de aterrizar. Pese a que ese pequeño problema se solucionara minutos después de ser localizado, si un avión pide pista de aterrizaje y pierde su turno, o bien justifica que tiene prisa por tomar tierra porque, por ejemplo, no lleva suficiente combustible, o tendrá que esperar a que le den un nuevo turno para aterrizar. Con el fin de evitar la redacción del informe que justifique el fallo y, aunque el combustible se apure al máximo, no es extraño sufrir casos como el nuestro, en los que un vuelo de solo cincuenta minutos se prolongue casi dos horas. Y, además, con la incertidumbre que provoca en el pasaje la falta de información, pues, en nuestro caso, nunca llegamos a saber si el fallo se solucionó a los quince minutos de producirse y, por ende, simplemente aguardamos en el aire un nuevo turno para aterrizar, o se solventó al cabo de una hora. Evitar justificarse del problema del avión ante Aena provocó, en este caso, dos ataques de ansiedad entre los pasajeros del vuelo.

España no ha sido el único lugar donde la compañía ha llenado páginas en los periódicos. Altercados como el de unos estudiantes belgas que fueron expulsados del avión por llevar exceso de equipaje o vuelos como el de Fez a París que tuvo que desviarse de su destino tras un retraso de tres horas para aterrizar finalmente en Bruselas han despertado la indignación de los consumidores que, aunque pagan bajos precios por esos billetes, saben que tienen sus derechos. En el primero de los casos, los estudiantes belgas se negaron a pagar el dinero extra que les exigía la compañía. Este hecho no solo quedó registrado en la prensa. La compañía irlandesa quiso reafirmarse en sus claúsulas y realizó un vídeo en el que explicaba cómo hacer una maleta de diez kilos de peso con todo lo imprescindible para un viaje y además lo hizo llegar a las universidades belgas para que lo incluyeran en sus planes de estudio. En el segundo de los casos, decenas de pasajeros del avión de Fez a París se amotinaron y se negaron a abandonarlo por haber sido llevados a un aeropuerto distinto del que se indicaba en la reserva.

A pesar de estos incidentes y de los fraudes de los que se acusa a la aerolínea, Ryanair también ha usado en más de una ocasión sus tácticas abusivas como forma de promoción. Y es que ya se sabe que hay quien defiende que siempre es necesario que hablen de uno... aunque sea mal. Una de esas estrategias pasaba por plantear vuelos en los que los viajeros fueran de pie. Para no saltarse las normas de seguridad, se incluiría un simple banco donde los pasajeros podrían abrocharse el cinturón durante el aterrizaje y el despegue. Con esta medida en cada avión podrían trasladarse más personas y, por tanto, la aerolínea se ahorraría más costes. Tampoco pasó desapercibida su idea de suprimir a los copilotos. Según Ryanair los pilotos, asistidos por los ordenadores, bastaban para manejar un avión. Con todo, la idea de cobrar por usar los lavabos ha sido otra de sus propuestas descabelladas.

Con esta trayectoria a sus espaldas a algunos les puede extrañar que el crecimiento año tras año de Ryanair haya sido espectacular, superando incluso en cifras de pasajeros a las aerolíneas tradicionales como Iberia. Las prácticas de la compañía se sitúan al borde de la legalidad, y todo por ahorrar costes. Ryanair lleva al extremo los límites del low cost. Se considera una compañía de bajo coste pero no respeta esta filosofía. No genera confianza entre sus clientes aunque sus vuelos sean los más vendidos. Toda una paradoja, ¿no cree?

Esta actitud, que puede parecer contradictoria, si se piensa bien es comprensible. La mayoría de los usuarios de la aerolínea sabe a lo que se enfrenta cada vez que compran un billete. No obstante, nunca dejan de sorprender esas tarifas extra que no se anunciaban con la oferta o los pequeños fallos inesperados en pleno vuelo que sitúan a la compañía irlandesa entre las menos valoradas, e invitan a sus clientes a acabar cada trayecto con un: «No vuelvo a volar con Ryanair». Pero pasados los meses, y de nuevo con el dinero justo, viajar por 12 euros, aunque haya que sumar las tasas y el recargo por pagar con tarjeta, seguirá pareciéndonos más barato que en otra aerolínea. Esta vez, llevaremos el billete impreso desde casa, la maleta pesada y medida al milímetro, e iremos al baño antes de embarcar, por si nos lo cobran también.

Ryanair no es la única low cost que se enfrenta a multas, quejas y reclamaciones. EasyJet, la segunda aerolínea de bajo coste por antonomasia, tampoco sale bien parada. La compañía ha recibido varias denuncias por cobrar la facturación de las maletas, medida que, aunque es ilegal en España, se ha convertido en práctica habitual de estas aerolíneas. Pero cuando la imagen de EasyJet se vio realmente afectada fue en cierta ocasión en que parte de su personal de cabina en el aeropuerto de París-Orly se declaró en huelga de dos días por considerar que sus salarios eran indignos y que, además, se vulneraban sus derechos sociales. La fama de las malas condiciones a las que las low cost someten a sus trabajadores volvía a estar en boca de todos.

La falta de atención ante las reclamaciones de los usuarios, los problemas para cambiar los billetes o las altas tasas que hay que pagar por cada modificación en los trayectos, que pueden llegar a salir más caros que comprar un pasaje nuevo, son las grandes asignaturas pendientes de estas aerolíneas. A cambio de recortar servicios, en casos puntuales de forma ilegal, han conseguido reducir sus costes, pero el consumidor no es tonto y debe usar sus armas, fundamentalmente la información, para no sentirse engañado y saber en todo momento con qué puede encontrarse. De hecho, debe saber que las compañías aéreas de bajo coste tienen las mismas obligaciones que las tradicionales ante situaciones como retrasos, pérdida de equipaje, *overbooking* o anulaciones de vuelos.

Hemos puesto el ejemplo de Ryanair porque nos parecía uno de los más representativos ya que es la compañía que ha llevado al límite el concepto low cost. Así que no se asuste, pero sí recuerde que pagar menos no tiene por qué significar perder calidad. Por eso, exija sus derechos.

2. Internet. Se mira, pero no se toca

Hacer compras por internet todavía resulta un desafío para muchos consumidores, acostumbrados a acudir a su tienda de siempre, elegir lo que quieren, probárselo y llevárselo directamente a casa. Comprar sin poder tocar y dejar el número de tarjeta en manos de una máquina conlleva riesgos, como la posibilidad de caer en alguna que otra estafa, pero esto no es lo habitual.

La mayoría de las reclamaciones en las compras por internet se efectúan por problemas con los artículos recibidos, pagos extra por los gastos de envío o complicadas devoluciones. Cuando adquirimos algún producto en una tienda física lo primero que hacemos es mirar bien las condiciones en las que se encuentra, probárnoslo —en el caso de que se trate de una prenda de ropa— y valorar su calidad con relación a su precio y al uso que le daremos. Y siempre con la tranquilidad que da saber que, en el caso de que esa adquisición no nos deje muy convencidos, disponemos de treinta días para regresar a la tienda y cambiar el artículo por otro o exigir la devolución del dinero. En el caso de internet, sin embargo, la cosa cambia.

Lo compro hoy, pero me llegará en dos meses

Vayámonos de compras por un club de venta privada. Nuestro día de *shopping* comienza, nada más y nada menos, a las siete de la mañana. Queremos ser las primeras en curiosear entre las prendas que ofertan y poder seleccionar las que más nos gusten. Pero aunque nosotras tenemos que madrugar para no perder ocasión, la ropa que compremos no nos llegará a casa hasta al menos quince días después. Este excesivo margen de tiempo entre la compra y su recepción es una de las quejas de los usuarios de estas webs. Además de tener que pagar una cuota de 6 euros, en el peor de los casos, la entrega puede llegar a demorarse hasta en más de un mes. Pero no es ningún fallo, ya que en las condiciones de envío de algunas de estas tiendas se lee que el plazo de entrega es de treinta días hábiles, por lo que, si su paquete no llega, no desespere.

Este tipo de reclamaciones han hecho espabilarse a las webs de venta privada, que han tenido que recurrir a otros métodos de entrega para reducir plazos y frenar el descontento de los usuarios. Algunos de estos portales, como Privalia, han llegado a rebajar las tasas por las gestiones de entrega. Antes, esta página cobraba 8 euros por paquete recibido, por lo que a veces el envío suponía un mayor desembolso que la propia compra de una prenda de ropa. Adquirir una camiseta por 7 euros y abonar 8 por los gastos de envío parece surrealista, ¿verdad? Al final, el 50 % de descuento que tenía aplicado la camiseta pasaba desapercibido para el cliente porque cuando la recibía en su casa tenía que pagar más del doble de lo que indicaba la oferta, y todo por estos gastos.

Muchas de las quejas de los usuarios con relación a esas tasas se deben a la publicidad engañosa. «Sin gastos de envío», puede leerse en los anuncios de algunas de estas webs. Pero eso no es del todo cierto. Las múltiples protestas de los consumidores han obligado a la mayoría de ellas a optar por cobrar solo los gastos del primer artículo que el comprador adquiere al día. Es decir, aunque llene su carrito virtual, únicamente tendrá que hacerse cargo de los costes de envío de la primera compra. Otras han comenzado a lanzar campañas promocionales que libran al cliente de asumir estas tasas si sus compras superan un determinado importe. Sin embargo, esta no parece ser la mejor solución, pues si compramos algo realmente barato, seguramente tendremos que hacernos cargo de los elevados gastos de envío, que harán que nuestra compra ganga deje de ser tal. Para solucionar este inconveniente, esas webs han optado por dar al consumidor la opción de ser él mismo quien recoja la compra pagando aproximadamente 4 euros, pero obligándole a desplazarse.

La recepción de nuestra compra también puede llegar a ser conflictiva. A fin de evitar más tiempos de espera, lo mejor es procurar que ese día haya alguien en casa. Pero aquí no se acaba todo. Adquirir una prenda exclusiva de marca con tantas prisas para evitar que se la quede otro cliente del club puede convertirse en un inconveniente. Quizá la prenda no le quede como imaginaba o tenga alguna tara, y devolverla puede suponer para usted perder definitivamente esa compra, pues al tratarse de stock de tiendas de moda será imposible cambiarla por otra talla u otro modelo. Ya sabe, son ventas «exclusivas». Primero deberá ponerse en contacto con la web donde efectuó la compra —por lo general, llamando a un teléfono 901, de pago—, pues por email las reclamaciones y las devoluciones caen en saco roto. Con la llamada, concertará con la tienda el día en el que un mensajero pasará por su casa para recoger el pedido. De nuevo, el tiempo de espera puede alargarse más de quince días; habrá de ser paciente, pues, si quiere que le retiren el producto y le reembolsen el dinero.

El consumidor debe estar alerta. Los derechos que le asisten le otorgan el poder de devolver cualquier adquisición hasta siete días después de su entrega sin tener que alegar absolutamente nada y sin que le suponga ningún gasto adicional. De hecho, en todo el proceso de compra, la web deberá mantenerle informado de todas las condiciones del procedimiento, y aunque siempre haya sido un incordio leerse la letra pequeña, puede que le salve de más de un problema. Saber dónde está comprando y ser consciente del poder que tiene como consumidor serán, seguramente, las mejores armas para llevar las riendas de su compra por internet. Piense que, al fin y al cabo, y aun en el peor de los casos, esos clubes de venta privada intentan cuidar a sus socios.

¿Una ganga o una estafa?

Las páginas web de cupones descuento o de compras colectivas han sido otro de nuestros puntos clave a lo largo del libro. Pero, como todo, también tienen su cara B. Como ya hemos comentado, cada vez son más las páginas web que entran a formar parte de este entramado de ofertas, descuentos y promociones que nos acosan diariamente a través del correo electrónico.

Imagine que decide hacerse socio de más de una de esas páginas web, bien porque siente curiosidad por conocer las ofertas que esconden, bien, quizá, por comparar precios entre ellas. Descubrirá entonces que para tener acceso total a los descuentos deberá dar como mínimo su nombre y apellidos y su dirección de correo en internet. Si esto le ha ocurrido con seis páginas y cada una le manda uno o dos emails diarios, acumulará un mínimo de ocho o diez correos con las mejores ofertas cada día. Si pide la baja, seguramente tendrá la impresión de estar perdiéndose alguna ganga, pero tenemos una buena noticia que darle: existen páginas web que funcionan como agregadores de ofertas. Estas se dedican a agrupar todos los descuentos del día de los principales portales de compras colectivas o de cupones. En España contamos con páginas web como Yunait.com o Cholloslocales.com. Visitar esos portales puede ser una buena forma de echar un vistazo a casi todos los clubes de compras colectivas y buscar lo que quiere sin tener que limpiar el buzón de correo diariamente. Eso sí, si le interesa alguna, nada le librará de tener que inscribirse de nuevo para acceder a su cupón.

A la hora de elegir la oferta también puede surgir algún problema. La web de cupones gana dinero por cada usuario que se apunta a una de sus gangas. Lo mismo sucede con la empresa que ha decidido anunciar allí su oferta para hacerse una publicidad que, de cualquier otra forma, le sería mucho más costosa. Por eso, no es de extrañar que las promociones que recibimos lleguen a nuestros correos engalanadas, adornadas o maquilladas con el único objetivo de atraer clientes, pese a que, en muchas ocasiones, la realidad de lo que compramos no se ajusta a ellas. Si encuentra una oferta de un restaurante de lujo con lo último en cocina moderna que ofrece su menú por 10 euros, es probable que lo contrate. Disfrutar de una cena en un local que, según la foto que aparece vistiendo la promoción, puede hacernos sentir como marqueses a un precio tan ridículo es reclamo suficiente para querer acudir allí. Pero lo mejor que puede hacer, antes de caer en la tentación, es recurrir a internet para buscar ese restaurante y su verdadera imagen, sin conformarse con solo la foto de recurso que esas páginas suelen emplear. Si realmente es así, ha tenido suerte, es una buena oportunidad de cenar fuera, aunque tampoco se sorprenda si al llegar descubre que ese local no es tan lujoso como se vende ni está especializado en nueva cocina. El restaurante solo habrá utilizado esos señuelos para hacerse publicidad.

Los casos en los que la oferta es completamente real no están exentos de problemas, sobre todo cuando la empresa que presta el servicio no da abasto. Lo vimos en capítulos anteriores, cuando analizábamos el caso del masaje balinés en un hotel. Si el cliente compra un bono descuento, quiere emplearlo lo antes posible para evitar dejarlo pasar y que acabe caducando. Nosotras queríamos haber gastado el cupón del masaje pocos días después de haberlo comprado, pero al llamar a la empresa se esfumaron nuestras intenciones. El éxito de la oferta había atraído a tanta gente que a la compañía no le quedó más remedio que darnos cita para varios meses después. Y ya sabe lo que eso puede suponer. Con tanto tiempo por delante, es posible que se disipen las ganas de disfrutar del masaje oriental; nos olvidaremos de la oferta, esta caducará y perderemos el dinero invertido.

Pero tener que esperar meses para hacer uso de una oferta debido a la gran afluencia de gente no es el único problema con el que podemos toparnos. Las empresas que trabajan con las webs de ventas colectivas deben firmar acuerdos de exclusividad y permanencia con ellas y su incumplimiento supone el pago de una indemnización. Así, si el hotel que ofrece los masajes se oferta con Groupon no podrá hacerlo en otras webs como LetsBonus o Groupalia, a no ser que decida romper el contrato y pagar el importe estipulado. En principio, esto no debería afectar a los clientes, pero lo hace. Si la compañía no está contenta con el trato recibido por la web de descuentos, el desagrado se hará notar en la calidad de los productos y servicios ofrecidos al usuario, pues dicha compañía se estará boicoteando a sí misma para que finalice su contrato de exclusividad cuanto antes y poder marcharse a otra página.

La calidad de la atención al cliente y la demora en el envío de los productos son quejas frecuentes en este tipo de webs. Para evitar estos contratiempos lo mejor es valorarse como socio. Es decir, no debe lanzarse sin más a por las ofertas. Hay que buscar, comparar y adquirir la promoción si realmente merece la pena. Esa es la mejor fórmula para realizar una compra inteligente.

No me time, por favor

No podíamos cerrar el capítulo de quejas y reclamaciones en internet sin hacer mención de los casos que día tras día sufren los consumidores que son estafados por ofertas falsas en la red.

Las ventas entre particulares o las subastas son dos de los sectores más afectados por esta mala fama. Y quizá no sea desmerecida. Una de las formas más fáciles de conseguir productos que no están a nuestro alcance es recurrir a la red, y esta peculiaridad es, en muchas ocasiones, el mejor gancho con que cuentan los estafadores. La estrategia es fácil: un internauta busca un artículo exclusivo en páginas de ventas en la red y contacta con un vendedor que parece ofrecer un buen precio. Con tarifas tan atractivas, la decisión de compra es casi inmediata; solo hace falta hacer el ingreso y esperar el paquete. Pero fíjese bien, porque sin medios de pago seguros como PayPal o certificados de confianza en las páginas web donde se realizan las compras, puede que la venta no sea fiable. Una vez efectuado el pago, el paquete que recibirá el comprador quizá sea defectuoso o no tenga nada que ver con lo que había pedido, o simplemente puede que nunca lo reciba. Si se trata de un timo, olvídese: su compra «ganga» le habrá salido cara, ya que difícilmente contactará con ese vendedor.

En páginas de subastas como eBay, donde es posible comprar productos de todo tipo a precios muy por debajo de los habituales o participar en subastas, son frecuentes las estafas. Pero existen consejos básicos que muchas veces, cegados por el buen precio, obviamos. Hace poco veíamos un anuncio de un televisor de plasma por 100 euros. Increíble, ¿verdad? Pues, seguramente, además de parecer increíble fuera mentira. Por eso, antes de lanzarnos a por esa compra hay que investigar sobre el vendedor, algo que permite eBay mediante un sistema de votos con los que comprobar la fiabilidad de la persona que nos vende el televisor. Si ese vendedor ha realizado alguna transacción anterior, podremos hacer un seguimiento y verificar qué artículos eran, a qué precios los vendió y los votos favorables que ha conseguido de sus compradores. Si los puntos de esa persona son todos negativos o no tiene ninguno, es hora de comenzar a sospechar.

Piense que nadie vende duros a cuatro pesetas y que en la red nadie le ofrecerá un bolso de Christian Dior auténtico y nuevo por 10 euros.

Otro de los sectores que más sufre las estafas en internet es el del turismo. Seducidos por atractivas ofertas y exclusivos parajes, muchos usuarios alquilan alojamientos o contratan viajes que, finalmente, acaban siendo falsos. Un ejemplo de ello es la web Sientelaindia.com. Gestionada por un vecino de un pueblo de Tarragona y una tailandesa, la página, sin licencia de agencia ni identificación fiscal, vendía viajes a Tailandia a precios muy asequibles. En total, los estafadores se apropiaron de más de 700.000 euros en supuestos viajes que nunca llegaron a realizarse. Para ganarse la confianza de sus clientes les facilitaban sus números personales e incluso se ofrecían como guías exclusivos en sus viajes. Conseguida la aprobación de los viajeros, los dos falsos agentes pedían el ingreso de una cantidad de dinero en concepto de reserva, prometiendo el envío inmediato de la documentación y la información necesarias antes de su partida. A pocos días del inicio del viaje, y sin recibir noticias de la agencia, los sospechosos habían desaparecido, desactivando sus teléfonos y la página web.

De nuevo le pedimos que no se vuelva escéptico ante las compras por internet, pues se trata de casos concretos y seguramente el mayor problema con el que se encuentre al contratar un viaje o un hotel low cost es que le cobren por un servicio con el que no contaba. Para evitar también esos contratiempos, todo buen consumidor que se precie debe informarse antes de realizar cualquier compra.

No es nuestra intención seguir asustándole, pero está claro que, con estrategias similares, tampoco son infrecuentes los falsos alquileres de apartamentos low cost, los engaños en ventas de coches muy rebajados e incluso por ventas de pisos «tirados» de precio.

Pero ¿qué pasa cuando el consumidor se convierte en el estafador? Los ejemplos más claros de engaño por parte del cliente los encontramos en los hoteles. Mientras que el establecimiento ahorra costes facilitando las reservas por internet, para muchos compradores el uso de la red ha supuesto una buena forma para llevar a cabo sus timos. La práctica más habitual consiste en enviar un email al hotel solicitando una reserva para una semana o más días. En ocasiones, se utilizan firmas falsas como si de una agencia de viajes se tratara o incluso de universidades, para otorgar más confianza en la reserva. Todo parece transcurrir con normalidad, pues el grupo efectuará el pago y el hotelero podrá ingresar el talón, quedándose pendiente de cobro durante tres o cuatro días hasta que se haga efectivo. En ese periodo de tiempo, los clientes pedirán la anulación de su reserva, exigiendo la devolución de un dinero que nunca llegaron a ingresar, pues se trataba de un talón sin fondos.

Todos hemos sido alguna vez víctimas de engaños. Del timo del tocomocho o la estampita se ha pasado a otros más sofisticados. Un simple descuido en la red puede suponer dejar al descubierto las cuentas bancarias de millones de usuarios. Las atractivas ofertas nos seducen, pero para ser un verdadero cazador de gangas es importante no dejarse atrapar por los cazadores de consumidores confiados. No se fíe de los chollos hasta que no compruebe que lo son realmente.

3. La verdadera oferta entre tanta rebaja

Después de haber visto todas las estrategias de las que hacen uso la mayoría de los comercios para conseguir que el consumidor compre en su establecimiento, puede parecer que estamos continuamente expuestos a los caprichos del vendedor. Paseando por los pasillos que ellos han diseñado, comprando los productos que nos indican o yendo de rebajas pensando que la nuestra es la mejor adquisición, cuando en realidad es ropa de la que quieren deshacerse. Pero todas estas artimañas no son, ni mucho menos, una estafa.

La red no es el único espacio donde el consumidor puede sufrir esos engaños. Antes eran muy frecuentes las cartas que llegaban a su buzón invitándole a participar en unas charlas de las que saldría con un espectacular regalo. Una minicadena, la cafetera más moderna, un coche... Pero la realidad era otra. Se trataba de una charla para venderle productos, por lo que en vez de llegar a casa con un magnífico regalo, podía llegar habiendo hecho un gran gasto.

Es cierto que en los supermercados es habitual salir con más artículos de los que habíamos planeado comprar. El cliente se lleva dos unidades de un artículo, cuando solo quería uno, en las ofertas de segunda unidad a mitad de precio, o tres si se trata de un 3x2. Compra más fruta de la que deseaba porque en las bandejas hay seis piezas y no tres, y se lleva cuatro litros de leche de más porque está en la semana del lácteo y la oferta acaba al día siguiente. Si el cliente se detiene a mirar la cantidad de productos de su carrito o cesta, que normalmente intentará llenar antes de pasar por la línea de cajas, verá que parte de esos productos no estaban anotados en su lista, pero le ha sido imposible obviar los suculentos descuentos del supermercado. Lejos de ser un engaño, en esos casos somos víctimas de una buena estrategia de ventas. Después de haber leído este libro, confiamos en que usted sabrá reconocerlos, aunque luego decida seguir cayendo en la tentación.

En el caso de las marcas de distribuidor, y pese al rechazo inicial que suscitaban entre los consumidores, cada vez son una parte más importante en la compra. La principal queja que protagonizan se produce cuando se intenta equiparar los dos tipos de productos, de marca de fabricante y blanca, como si debieran ser iguales. Acostumbrados a comprar primeras marcas, el paso a determinadas marcas de distribuidor puede ser de gigante. Por una parte, porque como ya hemos comentado, aunque existen algunos fabricantes que elaboran esas marcas, en la mayoría de las ocasiones el resultado final son dos productos distintos, que solo se parecen. Tampoco podremos buscar siempre el equivalente en marca de distribuidor, pues cada marca intenta diferenciarse precisamente con cualidades «extra» que la hagan sobresalir y llamar la atención del consumidor. Si vamos a un supermercado Eroski e intentamos comprar un yogur con fruta en tarro de cristal, al estilo del de La Lechera, quizá no lo encontremos porque la marca propia del supermercado no incluya ese producto en su catálogo, o quizá sí pero puede que no tenga el mismo sabor. Son dos productos diferentes de distintos fabricantes, y en nuestra mano está decidir cuál de los dos nos agrada más.

Algo importante que todo consumidor debe tener en cuenta es que tanto si compra en un supermercado como si lo hace a través de internet, tiene exactamente los mismos derechos. Este factor se olvida a menudo, y se cree que comprar algo más barato por internet o hacerlo en una compañía low cost supone perder ciertas potestades. Es una suposición totalmente equivocada de la que queremos que usted se deshaga y que tome nota. Compre lo que compre y no importa dónde lo compre, sus derechos como consumidor son siempre los mismos.

Dejando la lista de la compra a un lado, el periodo del año en el que más problemas surgen en el sector de las compras es en rebajas. Muchos comerciantes avispados se aprovechan de la predisposición de la mayoría de los clientes a dejarse dinero en casi cualquier producto rebajado que les guste, y cometen faltas graves, pequeñas estafas e incluso delitos.

El engaño más habitual suele aparecer en la etiquetas de los artículos. «Camisa con un 70 % de descuento, ahora a 30 euros.» El hecho de encontrar un gran cartel en el que nos aseguran que esa camisa está rebajada un 70 % ya es un importante reclamo, pero si no se ve por ninguna parte la referencia del precio anterior, ¿cómo sabemos que realmente se ha aplicado ese descuento?

Existen dos opciones, o que se haya manipulado el precio anterior porque no costaba realmente los 100 euros que debería, o que sea una camisa puesta a la venta justo en ese periodo de rebajas. Inflar el precio de los artículos asegurando que antes costaba una cantidad y pudiendo marcar una rebaja superior a la real es una de las prácticas más habituales. Aun así, el consumidor puede percatarse del engaño si la semana anterior vio esa camisa a 70 euros y ahora ve que el 70 % de descuento se ha aplicado sobre 100 euros. Lo ideal es encontrar el precio anterior del producto o una referencia de porcentaje verdadera sobre una prenda que estaba en la tienda semanas atrás.

Esos descuentos de más del 60 % son poco fiables, sobre todo en los primeros días de rebajas. Normalmente esos chollos resultan ser ofertas fraudulentas, no son artículos de la temporada pasada rebajados, y se dan en un limitado número de ocasiones. Pero, sea el porcentaje que sea, lo que el cliente no debe olvidar es que los artículos que está comprando valen menos porque son de la colección anterior, y en ningún caso habrán de ser defectuosos o sin garantías, a no ser que se indique de forma visible que tiene alguna tara concreta. La calidad de lo que el cliente adquiera debe ser la misma que la que vende esa tienda a lo largo del año.

Otra de las reclamaciones más frecuentes tiene que ver con la publicidad engañosa. Es frecuente encontrar atractivos anuncios y campañas publicitarias donde se ofertan prendas con descuentos sustanciosos, pero que una vez en la tienda no se ven por ninguna parte. ¿Le ha pasado? Pues como consumidor tiene derecho a exigir que en un plazo breve de tiempo se le proporcione dicha prenda u otra similar al mismo precio, ya que el establecimiento debe tener a la venta una cantidad adecuada a la demanda que genere su publicidad.

De nuevo, y como en cualquier época del año, usted tiene derecho a reclamar, devolver o cambiar el producto que haya comprado; conserve el ticket de la compra y haga valer sus derechos de consumidor.

Fuera de las épocas de rebajas, surgen otras tácticas de venta con descuento de dudosa legalidad. En los outlets de ropa, por ejemplo, es frecuente encontrar prendas de marca que no pudieron verse en las tiendas de la firma en la temporada correspondiente y que se venden a precios muy rebajados. Esta práctica es fraudulenta, pues no deben venderse productos a un precio tan bajo sin que sea ropa del catálogo anterior, por lo que suele cortarse la etiqueta.

También son cada vez más habituales las rebajas privadas. Se trata de adelantar varias semanas el comienzo de las auténticas rebajas, poniendo a la venta en determinados establecimientos productos exclusivos que solo están disponibles para los clientes privilegiados. De nuevo, esta operación es ilegal porque no se respeta la fecha establecida formalmente para el comienzo de las rebajas, pero es que, además, los descuentos suelen ser inferiores, y no llegan a superar el 40 %.

Las campañas especiales, al igual que las rebajas, son otro de los momentos en los que las tiendas reciben más número de quejas por parte de los usuarios. Hace unos capítulos, comentábamos que en algunos comercios donde se anuncia el «Día sin IVA», el descuento verdadero no es del 18 %, sino de poco más del 15 %. Ante la ignorancia del consumidor, esas tiendas aluden al IVA en general, dando por sentado que una deducción de este impuesto es igual a una rebaja de esa cantidad.

También hay que andarse con cuidado, en esas ofertas puntuales, ante la posibilidad de que los precios se hayan inflado. Al igual que ocurre en las rebajas, si lo que marca la etiqueta de determinado producto ha «engordado» sospechosamente de una semana para otra, coincidiendo con una buena oferta, a buen seguro es un fraude. Imagine que tiene echado el ojo a un equipo de sonido que cuesta 499 euros, y que en uno de esos días sin IVA acude al establecimiento para beneficiarse de la oferta y descubre que el equipo de sonido marca su descuento sobre 520 euros. Está claro que la rebaja se ha efectuado sobre un precio hinchado que no se corresponde con el valor real que el artículo tenía semanas atrás.

4. Telefonía o agonía telefónica

¿Cuánto paga por su factura telefónica? Entre teléfono fijo, móvil e internet, abonamos al menos unos 100 euros al mes por estar comunicados. Decenas de ofertas llegan como spam a nuestro correo electrónico, nos telefonean para convencernos de que determinada tarifa de móvil o de ADSL es la mejor, o nos envían comerciales a casa que nos aseguran que nos están timando en la factura telefónica y debemos contratar la que ellos nos ofrecen. Al final, es difícil saber de quién fiarse, pues todos los operadores buscan lo mismo: tenerlo como cliente.

Pero en el proceso de captar nueva clientela, las prácticas de estas compañías no siempre son las acertadas: publicidad engañosa, tarifas que luego se hinchan al sumar gastos inesperados o llamadas que el cliente no ha realizado pero que aparecen en su factura.

Cada mes, conocer el gasto telefónico supone un motivo más de posible infarto para decenas de familias que contratan unas ofertas que no se corresponden con la factura final. El problema son las falsas promociones a las que hay que sumar la contratación de línea, el IVA o el dinero que supone llamar fuera de las tarifas concertadas.

Para mayor inri, cada vez hay más servicios que sumar a la cuenta final de su teléfono móvil. Primero eran las llamadas, después los SMS, luego los MMS y un poco más tarde las tarifas de datos o por conectarse a internet. Al final, por mucha promoción que se contrate, el dinero pagado raramente se corresponderá con el cálculo que nuestro operador nos había ofertado.

Con los nuevos smartphones o teléfonos inteligentes la cosa se complica. Además de pagar la tarifa de datos para tener acceso a la red, llegan las aplicaciones móviles, y pese a que muchas son gratuitas y las que no lo son parecen no ser muy caras, el pago de unas 10 apps (aplicaciones) al mes puede suponer un incremento en la factura de unos 15 euros, en el mejor de los casos.

Otro gran problema que se plantea en este tipo de teléfonos es la cantidad de megas que se contratan. ¿Tendré suficiente con 300 megas al mes? Pasarse del límite que se ha contratado vuelve a suponer un incremento considerable en la factura, pese a tener una tarifa plana, pues el operador empieza a cobrar por mega descargado. Para evitar esas facturas sorpresa muchos usuarios hacen uso de las redes WIFI cuando tienen posibilidad, dejando de contabilizar minutos de su plan de datos contratados para no consumir todos los megas antes de que acabe el mes. Pero esta medida en vez de perjudicar a las compañías de telecomunicaciones les beneficia porque, de esta forma, consiguen descongestionar sus redes.

Para conocer el consumo mensual, ya sea telefónico o de las tarifas de internet, existen herramientas que los operadores ponen a disposición del cliente, pero su uso no es de fácil acceso para este último. Consultar el saldo consumido hasta el momento, los mensajes enviados o la cantidad de megas gastados por lo general implica un coste adicional o, en el mejor de los casos, la obligación de formar parte del club de clientes inscribiéndose en la página web. Ante la oleada de denuncias y reclamaciones que las malas compañías de telefonía han tenido que lidiar por este tipo de abusos, en la actualidad el operador tiene la obligación de enviar al cliente un mensaje de texto o avisarle de alguna forma cuando esté al límite de su tarifa, antes de que tenga que empezar a pagar más de lo concertado.

En la tarifa telefónica contratada para el domicilio ocurre más de lo mismo. Desde que internet está en casi todos lo hogares, los contratos telefónicos incluyen conexión a la red y tarifa plana en llamadas a fijos nacionales. Pero cuidado, pues realizar desde casa una llamada a un teléfono móvil o al extranjero si ese servicio no está incluido en su tarifa puede descuadrarle los números y hacer que se dispare.

Ante todas estas quejas, un servicio de atención al cliente eficaz podría ser una buena solución, pero no es el caso. Contactar con un ordenador cuando llamamos por teléfono para reclamar un fallo en nuestra factura no es plato de buen gusto. Tras cinco minutos intentando hacernos entender por una máquina, finalmente podremos hablar con una teleoperadora. Pero cada vez es más común que las compañías telefónicas dejen en manos de subcontratas este servicio, con personal poco especializado. Según la Federación de Usuarios y Consumidores, más de la mitad de las reclamaciones se realizan en el sector de las telecomunicaciones, donde se incrementan a un ritmo anual del 20 %.

Ejemplo del mal servicio telefónico es el caso de un conocido nuestro quien tras su partida a Venezuela decidió contratar con Orange una tarifa especial para poder llamar más barato a España. La compañía cometió un error y la tarifa que le activó fue de llamadas de España al extranjero, por lo que su factura a los dos meses de estar fuera ascendía a casi los 300 euros. Cuando volvió e intentó reclamar, la compañía se respaldó en no tener grabada la conversación y alegó que se trataba de un problema de mal entendimiento. Un fallo de 300 euros.

Con este panorama, no es de extrañar que los operadores móviles virtuales, recién aterrizados, hayan conseguido captar la atención de los clientes, logrando robar un buen pedazo de la tarta a las tres grandes compañías y fomentando la lucha de precios entre ellas. Con su aparición, la portabilidad se ha convertido en un problema más al que miles de clientes que encuentran tarifas más económicas en otras compañías deben enfrentarse como si de un divorcio malavenido se tratara.

La presión de la Unión Europea y de la Comisión del Mercado de las Telecomunicaciones ha ayudado bastante a los usuarios para darse cuenta de que las tarifas que estaban pagando hasta el momento eran abusivas. Pero querer cambiar de operador no es un trabajo fácil. El primer paso es contar con la permanencia que ata a cada usuario a su operador. Ofertarle un cambio de tarifas a una más ventajosa o un nuevo y moderno teléfono móvil rara vez se trata de un gesto de generosidad por parte de su compañía. De hecho, suele ser todo lo contrario. Ese nuevo teléfono de última generación supondrá renovar su contrato de permanencia que podrá mantenerlo atado durante dieciocho meses más, y si decide romper esas condiciones, tendrá que pagar.

A la hora de abandonar su compañía se presentan más conflictos. El juego del tira y afloja se hace patente entre los usuarios que ya tienen aprendida la lección de que si amenazan a su operador con irse, esta les ofrecerá ofertas mucho mejores para mantenerlos con ellos. Para que sea más real, lo común es contactar con otra compañía, aceptar su oferta y esperar a que el antiguo operador llame con una contraoferta.

Los operadores, que se las saben todas, comenzaron a cobrar penalizaciones si el cliente aceptaba una portabilidad y la anulaba al cabo de los días. Buen ejemplo de ello era The Phone House, que llegó a pedir 50 euros, o las empresas comercializadoras de Orange, que exigían 30 euros. Para poner fin a este abuso, la Comisión del Mercado de las Telecomunicaciones prohibió el cobro de penalizaciones pero aprobó la portabilidad en un día. Si el usuario pide cambiarse de operador, en tan solo veinticuatro horas laborables se debería hacer efectivo, por lo que las probabilidades de que su compañía llame para hacer una oferta mejor se reducen considerablemente.

Con esta medida, el juego en el que el consumidor podía presionar a su operador para recibir mejores ofertas queda casi anulado. La mejor forma de saber lo que pagamos habitualmente y si nos compensa la promoción que nos ofrecen es coger una factura y comparar precios. Sumado el IVA, los posibles imprevistos y la tarifa fija, haga cuentas. Las llamadas, los mensajes o las conexiones a internet que se salgan de la tarifa contratada puede llegar a duplicar su factura, por lo que comparar precios y tener en cuenta las ofertas de telefonía low cost serán una buena opción si no quiere llevarse una sorpresa cada mes.

5. No se vaya sin pasar por caja

Los bancos no están libres de quejas. Comisiones cobradas por un servicio que no se ha prestado, elevados gastos del mantenimiento de la tarjeta, cláusulas abusivas para determinadas prestaciones... Para poner remedio a estas situaciones se creó en 1989 la figura del defensor del cliente. Sin embargo, este personaje trabaja para la entidad. Aunque en teoría el defensor del cliente debe ser una persona preparada, cualificada e independiente, su puesto depende del banco o la caja que lo nombre. Aun así es, irremediablemente, el primer eslabón de la cadena que deberá sortear si usted quiere que su queja tenga la oportunidad de ser atendida. Tras este primer paso, podrá acudir al Servicio de Reclamaciones del Banco de España. Pero ni siquiera esta instancia le asegura el éxito en su reclamación. Por eso mismo, en muchas ocasiones lo que comenzó siendo una queja por algún servicio mal prestado o por alguna comisión se convierte en un problema judicial.

Las entidades financieras suelen acumular muchas quejas a lo largo del año y casi todas ellas tienen que ver con las comisiones que cobran por servicio. Algunas, las pocas, terminan resolviéndose a favor del cliente.

Pero este no es el principal problema que puede presentársele a un consumidor. Las entidades online han puesto sobre la mesa otro contratiempo mucho más delicado: el ciberfraude. Una de las fórmulas que usan estos delincuentes es el *phishing*, que es el nombre por el que se conoce al robo de la contraseña del cliente o de datos bancarios. A través de un correo electrónico el estafador se pone en contacto con él para solicitarle información con alguna excusa creíble.

Con el asunto: «¿Eres titular de una tarjeta BBVA? Empieza a ganar con BBVA desde 500 euros hasta 1.500 euros.», en 2008, cientos de clientes de la entidad bancaria cayeron en la trampa de uno de esos ciberdelincuentes que dejaron al descubierto sus cuentas. El procedimiento es sencillo. La víctima abre el correo y, siguiendo las instrucciones, llega a una página web aparentemente igual a la oficial de su banco. Aunque hay que fijarse mucho para localizar las diferencias, es posible dar con ellas. En la dirección web es preciso encontrar una «s» tras el tradicional http y un candado en la parte inferior derecha de la página para que sea segura. Aun así, debe saber que su banco jamás le solicitará sus datos personales a través de un email; no lo olvide.

Pueden cambiar los soportes, puede evolucionar la tecnología, pueden inventarse nuevas formas de seguridad para evitar este tipo de problemas, pero siempre habrá quien intente engañarle. Nuestro consejo: no haga nunca un movimiento en falso.

GUÍA PRÁCTICA: ¿De qué se quejan los consumidores low cost?

- En los vuelos de bajo coste, cualquier excusa es buena para sacarles más dinero, aunque sea de forma ilegal.
- Las compras por internet pueden ser un fraude o, en el mejor de los casos, llegarles a casa hasta dos meses después de haberlas realizado.
- En las rebajas muchos artículos tienen precios falseados o hay promociones ficticias.
- Los operadores de telefonía cobran importes que poco tienen que ver con las ofertas que promocionan.

Capítulo 9

Opiniones, valoraciones y todo lo que dicen los demás

La publicidad siempre había sido uno de los principales sistemas de cualquier negocio que aspirase al éxito. Una empresa que se preciara tenía el reto de darse a conocer a través de anuncios en prensa, radio o televisión con pegadizos eslóganes o cancioncillas promocionales. Hasta hace años, gran parte del éxito de ventas de una campaña publicitaria se tasaba en dinero; cuanto más invirtiera una empresa en publicidad, más clientela tendría. Pero llegaron las compañías low cost y demostraron que había otras maneras de acercarse al público.

Estas empresas pusieron los ojos en internet para explotar al máximo el potencial de la red como plataforma comercial sin olvidar la importancia del cliente a la hora de promocionarse, pues este es, en definitiva, el destino final de todos sus esfuerzos. Además, el papel que el consumidor desempeñaba en la publicidad estaba cambiando. La red permitía al usuario convertirse en protagonista de las estrategias de marketing, opinando, valorando e incluso modificando las campañas. Muchas de estas compañías han conseguido colocar al comprador en el centro de todas sus estrategias, hasta llegarnos a convencer de que nuestro criterio es tomado en cuenta.

¿Para qué gastar miles de euros en publicidad cuando de todos es sabido que la mejor difusión de los productos la hacen los clientes? El medio es el mensaje, y ¿qué mejor medio que el consumidor? Pero no nos olvidemos de que el objetivo de una empresa es hacer dinero, sacar beneficio de lo que vende, y cualquier maniobra publicitaria tendrá como fin último generar mayores ingresos.

1. De la tele a internet

La publicidad no es cosa de ahora. Algunos autores fechan el primer aviso publicitario en la época de los egipcios, aunque el marketing comercial, aquel que va destinado a la promoción de productos, no se desarrollaría hasta el crecimiento de las primeras urbes. Clases de historia aparte, nuestra evolución como consumidores ha ido pareja, irremediablemente, a la de la publicidad. Desde los primeros publicistas que consideraban a los clientes como meros receptores de sus mensajes, marionetas a las que se podía engatusar con carteles de llamativos colores y enunciados que destacaban las propiedades de esos productos, hasta la nueva publicidad participativa, nuestro avance en el juego del consumo ha ido variando las técnicas mercantiles.

Con el nacimiento de la televisión, nació también una nueva forma de hacer publicidad. Ya no solo se podía jugar con los mensajes y los dibujos; ahora la tecnología permitía otras artimañas para embaucar al potencial cliente. La firma de relojes Bulova fue la primera en confiar en la televisión como plataforma publicitaria. El 1 de julio de 1941, durante la retransmisión de un partido de béisbol que enfrentaba a los Brooklyn Dodgers y a los Philadelphia Phillies, y que retransmitía la cadena neoyorquina WNBT, se produjo el primer anuncio emitido por televisión. Duró solo diez segundos y se limitó a un cartel en la parte inferior derecha de la pantalla, pero pasó a la historia. Por él, la empresa de relojes pagó 9 dólares.

En España el primer anuncio en televisión lo protagonizó Freemotor, una filial de Westinghouse especializada en electrodomésticos, en 1957. De su «Distinguido público: Les hablo en nombre de la marca Freemotor [...], solo quiero ofrecerles un grato espectáculo», se pasó en pocos años a los spots en los que se mezclaban imágenes en movimiento, dibujos animados y cantilenas pegadizas. Seguro que aún recuerda la canción «Yo soy aquel negrito». Y eso que el primer anuncio que Cola Cao lanzó en la pequeña pantalla se remonta a la década de 1960...

La televisión ha sido la reina por excelencia en el mensaje publicitario. Su tecnología ofrecía a los publicistas un gran abanico de posibilidades, tanto creativas como técnicas, y su popularidad facilitaba, además, que el mensaje llegara a mucha gente a la vez. Aún hoy, ostenta el cetro. Un anuncio en la actualidad en España puede rondar, según la franja horaria en la que se emita, el día, el anunciante y el programa que interrumpa, más de 20.000 euros.

Aparecer en la primera posición en un bloque de anuncios es mucho más caro que salir en el quinto lugar. Por eso mismo, los precios no están cerrados y suelen variar cada mes.

Tampoco cuesta lo mismo anunciarse en Antena 3 que en Telecinco. En el momento de escribir este libro, en la primera de estas cadenas, publicitarse los jueves en *prime time* (22.00 h) costaba poco más de 17.000 euros, mientras que en la segunda cadena la tarifa subía hasta los 20.000 euros en esa franja horaria. Sin embargo, los miércoles a esa hora salía 5.000 euros más caro anunciarse en Antena 3 que en Telecinco. La audiencia manda. Y la audiencia somos nosotros. De nuevo encontramos un ejemplo de nuestra influencia en los precios. Nuestro interés por uno u otro programa tasa los bloques publicitarios.

Uno de los anuncios más caros se emitió en la final del Mundial de Sudáfrica 2010, en el que España ganó su primera copa del mundo de fútbol. Por veinte segundos de duración Telecinco cobró 250.000 euros solo por aparecer justo al terminar la final y proclamarse ganadora «La Roja».

Estos precios de vértigo fueron el fruto de la gran audiencia que cosechó este campeonato y desbancaron a los que hasta el momento lucían el título de los más caros: los de Nochevieja. En TVE se llegó a pagar 8.600 euros por segundo por el primer anuncio del año en las uvas de 2006. La primera cadena suele ser la más vista ese día y hasta que dejó de emitir publicidad comercial también era la más cara en esa franja horaria. Seguro que usted, casi instintivamente, se quedaba también mirando la tele después de las uvas para ver ese primer spot.

Pero si estas cifras le parecen astronómicas es porque no sabe cuánto se paga por un anuncio durante la Super Bowl en Estados Unidos. Un spot durante la final de la Liga de Fútbol Americano cuesta unos tres millones de dólares. Y el poder del público no termina ahí. Los comentarios de los telespectadores sobre el partido no se reducen a las tácticas de juego. Los anuncios son otro tema habitual de conversación, y los foros y las redes sociales se convierten en plataforma de debate sobre este asunto.

La audiencia es el principal factor para que varíen los precios de los spots en las cadenas de televisión. Y ya se sabe que la audiencia es infiel porque la competencia la hizo así. La amplia variedad de canales, la multitud de programas y las nuevas posibilidades de ver televisión han hecho que el público se disgregue por las diferentes cadenas y el impacto de la publicidad se diluya. El poder del mando a distancia obligó tanto a marcas como a anunciantes a modificar sus estrategias. El éxito de algunos programas y series de televisión facilitó un poco la tarea.

En los espacios televisivos más vistos a veces aparecen escenas en las que se anuncia algún producto y en las series de televisión los personajes consumen artículos de ciertas marcas que han pagado por aparecer en ellas. Seguro que recuerda algún personaje de alguna trama de ficción nacional de éxito comiendo unos cereales de determinada marca, luciendo alguna camiseta de firma o conduciendo un coche concreto. Esta estrategia es una forma de dejarse ver sin mostrarse explícitamente. Se la denomina «publicidad por emplazamiento» y suele ser más efectiva que los bloques publicitarios.

También se han puesto de moda los cortes de un minuto. Un programa de gran audiencia da paso a la publicidad que solo durará unos segundos, o dos o tres minutos como máximo. Los anunciantes que contratan esos espacios saben que los verán los fieles del programa que interrumpan, pues estos telespectadores no cambiarán de canal por tan corto espacio de tiempo para no perderse ni un segundo de su serie favorita.

De una forma u otra, anunciarse en televisión puede salir muy caro. El anunciante no solo debe pagar el emplazamiento; también es importante crear un anuncio que pueda ser recordado, comentado, alabado. Aun así, a veces triunfan spots sencillos realizados con escasa financiación; seguro que recuerda aquel que entonaba: «Tengo gambas, tengo chopitos, tengo...».

En prensa la publicidad tampoco está de saldo. Que usted abra un periódico y se encuentre un gran anuncio de Vueling no es nada barato para la aerolínea. De hecho, la gran inversión en publicidad que acostumbra realizar esta compañía la ha llevado a acabar en pérdidas en largos periodos fiscales, como el año 2007, cuando la empresa lanzó una agresiva campaña publicitaria en soportes de todo tipo, especialmente en prensa escrita, para aumentar o mantener el número de viajeros.

Que la aerolínea española cerrara con saldo negativo no es de extrañar si tenemos en cuenta lo que cuesta aparecer en un periódico de tirada nacional. En 2011, el diario que vendía su espacio más caro era *El País*, que cobraba una página completa a 27.970 euros. Y el más barato era *Público*, donde aparecer a toda página costaba 12.948 euros. Sorprende, sin embargo, que si se examinaran pormenorizadamente las tarifas de 2011 los más caros sean los gratuitos, paradójico, ¿verdad? En concreto en el diario *20 Minutos* anunciarse salía por 32.300 euros, seguido por *Qué*, donde la tarifa ascendía a 31.520 euros por una página completa.

La evolución de los medios digitales, el avance de internet y de los dispositivos móviles también han modificado la forma de hacer publicidad, de llegar a los consumidores. El comprador ahora está más informado que nunca, puede analizar los detalles de los productos que adquiere, ve televisión sin cortes y hasta realiza compras también desde su móvil si lo desea. No quiere ver anuncios que le describan lo que compra, quiere que llamen su atención. Por eso los anunciantes llegan a pagar importantes sumas para contar con el spot más original, más divertido, el que tenga la música más pegadiza o cuente con la colaboración de algún conocido deportista o actor.

La elevada inversión que debe realizarse para ganarse un hueco en la televisión o en algún periódico de tirada nacional no está al alcance de todos los bolsillos. Sin embargo, el avance de internet y el ingenio, que siempre encuentra una salida, han facilitado la promoción a compañías cuyo gasto publicitario es menor. Por eso la publicidad no muere, solo se transforma. Cambia el soporte pero no el objetivo: atraer al público a un determinado producto o servicio.

Ahora, en plena era de la experiencia, a los consumidores no nos convencen solo unos buenos eslóganes, sino que también queremos participar. Deseamos convertirnos en parte relevante del juego. Y hay formas en las que el comprador adquiere el total protagonismo, estrategias que le permiten desempeñar otros papeles, llegando a ser, cada vez con más frecuencia, el emisor del mensaje publicitario.

2. Haz publicidad sin gastar

Antes de pasar a las fórmulas publicitarias más modernas, fijémonos en la más antigua. La estrategia publicitaria más vieja, el boca en boca, ha sido para el low cost una de las mejores formas de recortar costes.

Ya hemos explicado que una de las empresas que mejor partido ha sabido sacar al marketing viral ha sido Mercadona. Esta cadena de supermercados decidió, cuando puso en marcha su estrategia de gestión enfocada al cliente, renunciar a la publicidad convencional y dejar que fuera el comprador quien hiciera esta labor.

¿Arriesgada, temeraria o inteligente? Nosotras describiríamos la fórmula Joan Roig como astuta. Decidió colocar al cliente en el puesto que se merecía: iba a ser el jefe, decidiría con sus comentarios y críticas el éxito o fracaso de Mercadona. Pero esta receta tampoco es fácil. Para ganarse la confianza de los consumidores Mercadona no solo necesitaba ofrecer productos de calidad a un precio más ajustado, también era preciso que esos productos se probasen. ¿De qué sirve vender un producto bueno si nadie tiene la osadía de catarlo? Por eso tuvo que lanzar un órdago al mercado.

En 2009, Mercadona decidió retirar de sus estanterías más de mil referencias importantes de marcas como Calvo, Nutella y Don Simón, entre otras. Este atrevimiento levantó polémica. Los medios de comunicación se hicieron eco de la noticia y no fueron pocos los que predijeron un fracaso en esta estrategia de marketing. Pensaron que imponer una variedad de productos tan limitada y destacar la marca de Mercadona por encima de las demás no daría resultado. Pero se equivocaron. El tiempo ha dado la razón a Roig y sus productos están entre los más demandados en el mercado. E incluso es ahora la prensa la que alaba su apuesta.

«¿Has probado el yogur griego de Dia? ¡Está muy bien!» Inocentes comentarios como este son la mejor publicidad que una compañía puede recibir de sus productos si la recomendación de los clientes cala entre sus amistades y estas también prueban sus artículos. Pero ¿qué efecto tienen los comentarios en los nuevos entornos online?

Internet ha convertido el boca en boca en una fórmula de tentáculos muy largos que llegan a mucha gente. Las plazas de los pueblos, los mercados, las reuniones de amigos tienen su réplica online en los foros, en las redes sociales y en los blogs.

Las firmas low cost convierten, por tanto, al consumidor también en usuario. Es una inteligente estrategia para ellas y una oportunidad para quienes buscamos productos y servicios que tengan una relación calidad-precio justa. Y los medios digitales han sido muy importantes para el triunfo de esta maniobra publicitaria. Internet se ha convertido en la catapulta de esas empresas, las cuales han propuesto un cambio de patrones en el plano corporativo y de conducta entre los clientes. Muchas compañías, por ejemplo la web de cupones LetsBonus, llamarán su atención con un gancho promocional, como un fin de semana en la playa por 30 euros, y si le convencen usted entrará a formar parte de sus bases de datos.

Pero solo si le convencen. Ahí está la otra cara de la moneda para estas empresas: el poder del comprador. Por eso mismo el falso low cost, aquel que no ha sabido ganarse a los consumidores con propuestas lógicas, se quedará por el camino, no triunfará, porque los principales publicistas de esta nueva estrategia mercantil somos los clientes.

Enemigos íntimos

Decía Philip Kotler que «la mejor publicidad es la que hacen los clientes satisfechos», y compañías como Primark pueden dar fe de ello. Sin embargo, no todas las empresas reciben ese mismo grado de confianza con tanta rapidez. Otras low cost han tenido que desoír a Kotler para hacer caso de las palabras de Henry Ford y considerar que «quien deja de hacer publicidad para ahorrar dinero es como si parara el reloj para ahorrar en tiempo».

Algunas low cost como Lidl, Ikea, Muebles Boom o Ryanair han seguido el consejo de Henry Ford y le han dado cuerda a su reloj a través de mensajes publicitarios para darse a conocer entre los consumidores españoles.

Las formas de hacerlo son muy variadas. Una manera bastante práctica para que hablen de uno es salir en los medios de comunicación. Ni spots televisivos, ni anuncios pegadizos; tan solo polémica. Aparecer en las páginas de los periódicos y en las revistas es barato y puede llegar a ser incluso más efectivo que ocupar los faldones publicitarios que visten algunas páginas. Sin embargo, está en juego la imagen de marca. Spirit Airlines, aerolínea low cost americana, hirió la sensibilidad de mucha gente cuando en 2010 utilizó el vertido de petroléo de la compañía BP cerca del golfo de México como reclamo publicitario. «*Check out the oil on our beaches*» (Prueba el aceite/petróleo de nuestras playas)», podía leerse al entrar en el portal de la compañía, donde aparecían mujeres en biquini resplandecientes por la capa oleosa que las cubría. Tras una acre polémica que hizo saltar a la aerolínea a los medios de comunicación de medio mundo, a causa de la envergadura que había tenido el derrame de BP, Spirit Airlines decía sentirse incomprendida y aseguraba que su intención era fomentar el turismo en las zonas afectadas. «El único "oil" que se verá en estas playas será el de los bronceadores», concluía, pero la aerolínea ya estaba en boca de todos.

EasyJet no ha llegado tan lejos, pero tampoco pudo resistirse al atractivo de la publicidad. Su estrategia para consolidarse en Portugal pasó por una campaña en la que la participación ciudadana se hacía imprescindible. La idea era encontrar dobles del futbolista luso del Real Madrid Cristiano Ronaldo. Aquellos que creyesen que guardaban un apreciable parecido con el deportista debían mandar su foto a la página de Facebook de la compañía. Los diez primeros viajarían para animar al equipo de Ronaldo.

Con este concurso la firma low cost no solo promocionaba su marca por tierras portuguesas, sino que también se aseguraba de que, por la dimensión del personaje, se descubrieran sus servicios más allá de las fronteras ibéricas.

3. Las mil y una formas de venderse

La publicidad participativa está de moda. Con esta fórmula las empresas se aseguran la opinión del consumidor, implican al cliente en sus campañas, le preguntan por el color del logotipo de su marca, le piden que idee uno de sus anuncios o que elija su nuevo artículo estrella. De esta manera, se generan lazos entre esas marcas y el comprador. Y no tienen por qué invertir demasiado en estas campañas.

Seguro que usted ha sido testigo de ellas y puede que incluso haya participado en alguna. Carrefour propuso a sus seguidores en Facebook elegir el color para su logotipo, y la marca de patatas fritas Lay's se sacó de la manga un concurso en el que el público tenía que votar el sabor que más le convencía entre los dos nuevos que la empresa iba a sacar al mercado.

En otras ocasiones la compañía invita al cliente a elaborar uno de sus productos. Fue el caso de McDonalds, que celebró su cuarenta aniversario en Alemania con un obsequio original para sus fieles: a través de su página web, los consumidores podían crear la hamburguesa a su gusto y comparar su creación con la de otros usuarios e, incluso, votar la receta que más les hubiera sorprendido.

Si esta propuesta le parece original es porque a lo mejor no recuerda la de Burger King y su «Whopperettes». Seguro que se acuerda de las bailarinas disfrazadas de lechuga, de los acróbatas vestidos de carne y de la coreografía con la que se creaba la hamburguesa más conocida de esta cadena de comida rápida en un anuncio para la televisión. Pero quizá haya olvidado que antes de poner en marcha este spot de tan alto presupuesto, la empresa lanzó un juego online en el que el usuario podía dar órdenes a un hombre-pollo y en Facebook regalaba una hamburguesa a quien se atreviera a eliminar de esa red social a diez amigos.

Pepsi tampoco ha dejado pasar la oportunidad de publicitarse a través de juegos, encuestas y foros participativos. Es un tipo de marketing mucho más barato que el convencional y, además, ha resultado bastante efectivo. La gran rival de Coca-Cola lanzó, junto a Doritos, un concurso para que los clientes de ambas marcas idearan y mandaran sus anuncios sobre estas firmas. Los mejores vídeos, aquellos que hubieran votado los usuarios de la página web en la que se colgaron y los elegidos por el jurado de esas marcas, se emitirían durante la Super Bowl.

Otra manera de reforzar la imagen de marca es utilizar a los empleados como reclamo publicitario. Eso sí, siempre que se muestre la realidad de la compañía. Como hemos comentado, el público tiene ahora un significativo poder que puede elevar a una firma o hundirla. Las empresas de marca que se han lanzado con estas promociones pretenden hacer llegar a los consumidores su forma de hacer negocio y de trabajar. Por eso mismo, utilizan a su plantilla, para que el mensaje que esta transmita sea: «Así hacemos nuestro trabajo, sin trampas ni cartón». Compañías como Everis y BBVA han utilizado esta maniobra para ganar adeptos. Pero no son pioneras en esta manera de promocionarse. Hace años, en 2006, Coca Cola ya usó a sus empleados como extras de la campaña de un nuevo producto, y Seat escogió a treinta y seis de sus trabajadores para que protagonizaran el anuncio del nuevo Ibiza.

Estas firmas pretenden que los compradores piensen que se implican con su plantilla y, por tanto, también con los consumidores.

El uso de los empleados como actores de reparto de un anuncio publicitario no solo refleja cercanía con el cliente medio, también lanza un mensaje claro: «No vamos a gastar mucho dinero en promociones si queremos venderle los productos a los mejores precios». Piense por un momento en el spot en el que Media Markt utilizaba a sus empleados en una campaña sencilla. Ese en el que aparecía un personaje parecido al de la película *Rocky* delante de unos cuantos trabajadores uniformados con su ropa de trabajo bajo el lema: «Ahora más que nunca luchamos por ti».

Ofrecer sugerentes descuentos y ofertas es otro de los ganchos que usan las firmas de marca. La clásica táctica del 2x1 o las rebajas atemporales suelen atraer a los clientes que buscan insignias determinadas a mejores precios. Pero estas empresas deben tener en cuenta que esos consumidores no serán fieles a sus marcas, sino solo a sus ofertas. Cuando a un comprador le interesa un producto determinado suele mirar menos el dinero que va a gastarse.

Las compañías tradicionales intentan atraer a los consumidores a través de buenas ofertas y las low cost pretenden fidelizar a sus clientes con un modelo de negocio básico. Al fin y al cabo, ambos modelos necesitan al cliente para sobrevivir.

Opiniones y foros en internet

El gran patio de vecinos que es internet se ha convertido en una de las mejores maneras de promoción. No es para menos. Los nuevos medios de comunicación, las redes sociales, los foros, los chats y los blogs han conseguido crear un escenario en el que el contenido y la opinión ocupan un lugar preferente.

Estos sitios han permitido a las empresas ampliar su presencia en la red y elevar las oportunidades para llegar a más nichos de población. Los blogs, las redes sociales y los foros son los mejores espacios para el boca-oreja interactivo. Gracias a estas plataformas, compañías que quieren ahorrarse excesivos costes publicitarios descubren una buena forma de darse a conocer.

Es una manera ingeniosa y barata de hacer marketing, cómo negarlo. Y es también un modo eficaz que ha sabido aprovechar el cliente para evolucionar y ser un consumidor inteligente. Lo que busca el comprador en la tecnología es poder informarse y comparar precios y opiniones. Para cubrir esta demanda han surgido plataformas como Twenga, un portal que recoge todas las ofertas de la web de cientos de tiendas y que además utiliza el sistema de opiniones y recomendaciones. Imagine que estamos buscando unas zapatillas Nike a buen precio. Al introducir los términos en el buscador de la página nos aparecerá un listado con todas las deportivas que Twenga localice en la red. Ebay, LaRedoute, Modalia, PriceMinister o cualquier pequeño comercio que venda online. En esta ocasión el resultado de la busqueda ha sido de 91 ofertas en 12 tiendas diferentes. Para completar la imformación, el portal da al usuario la opción de enviar la recomendación por email, aportar su opinión e incluso crear una cuenta en Facebook con Twenga donde poder expresar sus impresiones.

La importancia de las valoraciones de otros usuarios cobra el máximo protagonismo en páginas como Ciao!, una herramienta de compras del buscador Bing que se basa en los datos sobre ventas que aportan los internautas. Ya sea en electrónica, móviles, música, electrodomésticos, coches o viajes, en cualquier producto que el usuario seleccione lo primero que visualizará serán las opiniones de otros consumidores, una puntuación mediante estrellas y la posibilidad de ver preguntas de otros usuarios o de realizar la suya propia.

Según un estudio de Trivago.com, un comparador de hoteles, los consumidores que utilizan este tipo de herramientas ahorran hasta un 25 % de media al reservar alojamiento. Es más, según un artículo publicado por la revista *XL Semanal* (enero de 2011), que hace referencia a un estudio de la consultora Nielsen Company, «el 27 % de los internautas españoles declara consultar las redes sociales para ayudarse en sus decisiones de compra, el 29 % consulta análisis sobre productos en internet y el 15 % examina las opiniones que aparecen en foros y blogs».

Imagine por un momento la cantidad de usuarios que esconden estos porcentajes... La red es, pues, una gran plaza en la que muchos quieren dejar su opinión y otros tantos recibirla. Y es que las empresas saben que si no cumplen con lo que ofertan, esa gran ágora digital puede provocar un tsunami de opiniones negativas que borraría de un plumazo una buena reputación. De ahí la importancia que tiene ser una compañía coherente, sea cual sea su modelo de negocio. Y ahí también podemos encontrar la explicación de nuestra posición relevante en el tablero porque nosotros, los consumidores, también «tenemos derecho a nuestra fiesta».

GUÍA PRÁCTICA: ¿Es usted una marioneta de la publicidad?

- No se deje engatusar con campañas de marketing en las que usted sea el protagonista. Los empresarios no buscan solo su opinión, quieren que compre el producto.
- Las low cost presumen de no hacer publicidad. No es del todo cierto, aunque su manera de darse a conocer es distinta. Téngalo en cuenta.
- Convénzase del poder que tiene como consumidor y de su capacidad para influir en el éxito o el fracaso de una empresa. Los comentarios que haga a sus amigos o en internet serán muy importantes.
- La polémica también es publicidad. No la alimente si no cree en la compañía que la ha fomentado.
- Diviértase con la publicidad participativa.

Capítulo 10

Consumo low cost, consumo inteligente

Llegamos al final del viaje. En todo este recorrido hemos hecho hincapié en las estrategias más dispares de las compañías low cost o de las que pretenden serlo, y aunque hemos intentado aconsejarle sobre todas ellas, queremos que la última estación en nuestro trayecto sea precisamente usted, el consumidor. Aprovecharemos las últimas páginas para considerar el poder que tenemos como compradores, de dónde proviene y cómo sacarle partido. Nosotras somos las primeras en reconocer que aparte de todas estas compras low cost no nos hemos privado de buenos viajes y de sesiones de relajación en un centro termal. Aquí está la clave, en una buena gestión de nuestras finanzas.

¿Dónde está el secreto? La llave que abre las puertas del consumo inteligente se esconde en la cantidad de información con la que hoy en día contamos. Cuanto mejor informados estemos, mejor uso de nuestro dinero haremos. Ahora en el juego del consumo todos participamos con las mismas cartas.

En las siguientes líneas nos centraremos en cómo ha evolucionado el consumidor, en cómo hemos cambiado los compradores porque, aunque creamos que no pintamos nada en las estrategias de las marcas, en realidad somos su epicentro. Todavía no podemos decir que los clientes llevemos la batuta de las tendencias, pero sí que hemos ganado una posición mucho más relevante en el tablero.

Dejamos de ser compradores para ser consumidores cuando las empresas comenzaron a competir entre ellas: no es lo mismo ser la única panadería de una zona que tener que rivalizar con dos o tres en la misma calle. Al principio, los tenderos se ganaban la confianza del cliente, eran sinceros, intentaban mostrarse honestos, transparentes e, incluso, llamaban por su nombre a sus parroquianos. Su mejor publicidad eran sus productos y el servicio que daban al comprador. ¿Se acuerda de cuándo fue la última vez que el dependiente de una tienda le despidió por su nombre de pila?

En la actualidad, a falta de esos tenderos en peligro de extinción que nos informaban de las virtudes de sus artículos, somos nosotros, como consumidores, los que buscamos información clara de los productos que compramos y una buena relación calidad-precio. Ya no tenemos a nuestro dependiente de confianza que nos aconseje y nos advierta de lo que estamos adquiriendo, pero tenemos otros cauces donde la información fluye. No solo nos enteramos de las bondades de un producto por los comentarios de nuestros amigos y conocidos sino que también podemos comparar esas ventajas con las de otros artículos de la misma gama a través de internet, evaluar sus precios y opinar sobre los mismos para, al final, decidir la compra con las ideas claras.

Es un pequeño esfuerzo que compensa. Si no lo cree, piense en cómo se siente cuando ha realizado una buena compra, cuando ha conseguido driblar las ofertas trampa y se ha informado de lo que le reportará su nueva adquisición. En definitiva, cuando ha hecho una compra inteligente. Quizá fue así como se sintió Alberto cuando se encontró con su amigo Josu en la puerta de un hotel playero y se dio cuenta de que él había pagado un 25 % menos por una habitación con las mismas características. Alberto consiguió un mejor precio porque dedicó algo de su tiempo a comparar hoteles según su coste, instalaciones y localización, mientras que Josu se lanzó a por la primera oferta que se le presentó, sin pensar que, quizá, su promoción no era una verdadera ganga. Unas cuantas búsquedas por internet significaron un importante ahorro para Alberto, pero aunque la red fue su principal herramienta lo que le hace diferente a Josu es su actitud como consumidor.

¿Se da cuenta de cómo podemos actuar ahora ante una compra? No nos dejamos llevar por descuentos ni promociones, nos informamos de lo que nos venden, y sabemos lo que queremos y el precio que estamos dispuestos a pagar. Hemos cambiado.

1. Érase una vez... el consumidor

Como toda evolución, la del consumidor también ha atravesado por varias fases. Pasamos por el trueque, el regateo, las rebajas, por el «Avon llama», la teletienda y las compras por internet. Y en todo ese camino el comprador ha ido adquiriendo pericia. Hemos madurado. Hemos evolucionado del «Homo consumista» al «Homo sapiens consumista».

Una de las primeras estrategias en las que se demuestra nuestro poder en las compras es el trueque. Esta maniobra, que se remonta a tiempos inmemoriales, sigue estando presente en nuestras vidas. Del cambio de cualquier prenda que ya no iba a utilizarse por un kilo de arroz hace más de quinientos años hemos pasado al mercadillo virtual que es internet.

Páginas como eBay o Segundamano suponen un gran bazar en el que es posible intercambiar unos artículos por otros. Conocimos hace no mucho a un enamorado de los móviles que, para saciar su pasión por la tecnología, cambiaba teléfonos casi semanalmente con el objetivo de tener siempre el último modelo. Nosotras mismas hemos hecho uso del trueque a través de la red cuando decidimos intercambiar, durante unas vacaciones, nuestro piso en Madrid por otro en París mediante la página web Couchsurfing.com. En este portal, de forma totalmente gratuita, los usuarios pueden ofrecer alojamiento en su casa o solo un café y buscar exactamente lo mismo en cualquier lugar del mundo. Cada vez son más las páginas como esa, como Intercambiocasas.es, por ejemplo, donde hay que pagar una tarifa de poco más de 50 euros al año para poder acceder a cualquier piso o casa que le interese y que, de este modo, en sus vacaciones solo tenga que preocuparse del transporte.

El trueque original, que definió al comprador desde el principio como un jugador con audacia, quedó algo obsoleto cuando entró en juego el dinero. La moneda reinventó el sistema de compra/venta que había utilizado el hombre. Los productos pasaron a tener un valor que se calculaba en dinero y los consumidores hubieron de adecuarse a esa tasación. O no...

Una de las estrategias comerciales donde el consumidor logra convertirse en el verdadero centro de la ecuación es el regateo. Con la experiencia hemos ido aprendiendo el valor de las cosas y, desde muy antiguo, hemos intentado que esa estimación que hacíamos del producto se reflejara en su precio. Cuentan que hasta el profeta Mahoma lo puso en práctica. Y no con cualquiera... ¡con el mismo Alá! Según hemos leído, Mahoma ascendió a los cielos y tuvo la oportunidad de acercarse al trono de Alá. Este ordenó al profeta que enseñara a los musulmanes a rezar del mismo modo que se hacía en el cielo. Le dijo que tenían que hacerlo cincuenta veces al día. Una vez recibida la orden, Mahoma emprendió su camino de regreso a la tierra cuando se encontró con Moisés, quien le sugirió que debería volver al cielo e intentar reducir el número de rezos: «Los seres humanos no te seguirán. ¡Mira que los conozco bien!». Mahoma hizo caso a las palabras de Moisés y regresó ante Alá hasta por dos veces para procurar disminuir la cantidad de oraciones diarias. Este tira y afloja dio sus frutos: los musulmanes rezan cinco veces al día y no cincuenta.

A regatear hemos aprendido tanto compradores como vendedores. En esta casilla del tablero hemos caído todos alguna vez en nuestra vida y conocemos bien en qué consiste el juego. Somos capaces de intuir el valor de un producto y sabemos que el vendedor no nos ofrecerá su género sin obtener un margen de beneficio. Dicho de otra manera: cuando creemos que un artículo en venta en el que estamos interesados cuesta menos de lo que marca su etiqueta, intentamos negociar con el vendedor para que nos lo deje al precio que consideramos justo. Así lo hizo Sara, que compró una pulsera por 5 euros cuando el vendedor se la ofrecía, en un primer momento, por 10. Ese regateo que protagonizó con el comerciante y su pequeño triunfo le hicieron sentirse poderosa. Había conseguido imponer su criterio sobre un precio inflado. Y no crea que el vendedor obtuvo pérdidas: en realidad, ningún comercio vende un producto sin obtener ganancias, ni siquiera en rebajas.

Enero y julio son fechas marcadas en el calendario de más de uno como los mejores meses para comprar. ¡Llegan las rebajas! ¿Se ha preguntado alguna vez cómo nacieron? Pues se sorprenderá al conocer que no es algo relativamente nuevo, sino que tiene su origen en el Nueva York de la década de 1930.

Hace ochenta años, en la ciudad de los rascacielos, a un reputado director de unos grandes almacenes se le ocurrió ofrecer las prendas que no había conseguido vender y que iban a pasar de temporada a precios más bajos. Su intención no era brindar al consumidor una alternativa asequible a los precios de su tienda, sino liquidar todo el stock posible para evitar almacenar demasiado producto que, luego, sería muy complicado vender. Y es que hasta que ese hombre de negocios no se sacó de la manga esa artimaña mercantil, las prendas pasadas de moda convivían en los estantes de los establecimientos con la ropa de temporada a los mismos precios. Todas esas prendas podían permanecer allí meses y meses porque los consumidores, que nunca han sido tontos, no iban a comprar algo pasado de moda a precios de tendencia.

Las rebajas triunfaron. Fueron todo un éxito porque permitieron a los ciudadanos menos adinerados acceder a productos que, sin ese descuento, no podrían comprar. Y supusieron la válvula de escape que los vendedores necesitaban para dar salida a su stock.

Todavía triunfan. ¿Quién no ha ido de rebajas alguna vez? ¿Quién no ha esperado unos días después de Reyes para comprar algo que le había llamado la atención a un precio algo inferior?

Esta estrategia responde a un denominador común: el cliente. Las empresas necesitan al consumidor. Nos necesitan para hacer negocio y, aunque hemos tardado tiempo en darnos importancia, ahora sabemos que sin nosotros no existen. Nuestras propias maniobras, nacidas del deseo de conseguir los productos que queremos al precio que creemos justo, y la rivalidad de las marcas para sumar clientes nos han dejado en una posición relevante en la partida.

Hemos logrado poner en boga estilos, hemos modificado estrategias de venta y nos hemos sentido bien al conseguir productos por el precio que nos parece justo. Pero esta evolución no ha sido un camino libre de obstáculos. Los consumidores, hasta hace poco, hemos estado en desventaja. Los vendedores contaban con toda la información y solo nos hacían llegar una pequeña parte de ella. Hemos sido objeto de timos, estafas y promociones trampas, y nos hemos convertido en desconfiados por naturaleza. Pero ahora somos nosotros los que contamos con ese arma infalible: tenemos toda la información necesaria para llegar a ser consumidores inteligentes.

2. Díganos cómo compra y le diremos qué consumidor es

Hasta llegar al punto en el que nos encontramos hemos tenido que superar un largo proceso. La crisis, que nos ha obligado a apretarnos el cinturón, ha mostrado sin maquillaje la forma que tienen ahora los consumidores de comprar, pero, en realidad, estas nuevas maneras ya existían antes de la debacle económica. Ahora sabemos lo que queremos y el precio que estamos dispuestos a pagar por ello. Discriminamos y gastamos según nuestros intereses.

Los consumidores somos más prudentes y las compañías han tenido que adaptarse a nuestra manera de comprar, de elegir los productos que consumimos.

Aun así, no todos los compradores contamos con el mismo perfil. Aunque hace ya algunos años que no nos dejamos embaucar por las firmas, cada persona es un mundo y se guía por lo que considera oportuno en sus compras. Gracias a estas diferencias, podemos establecer seis tipos de consumidores:

1. **El marquista**. Nuestra amiga Cristina es una auténtica víctima de las marcas. Ella solo compra artículos que haya conocido a través de la publicidad convencional y que le hayan resultado de su agrado. Compra únicamente marcas y huye de los productos de distribuidor. No le importa gastarse unos euros de más en su carrito ni en sus viajes porque cree que la calidad la define el

precio. Y no es tonta. Ella tiene su propio presupuesto y administra su dinero como cree mejor.

2. El anti-comprador. Luis es el auténtico anti-comprador. No le gusta salir de *shopping* y le aburre el ritual que envuelve a las compras. Camina por los pasillos de los supermercados con desidia y sin fijarse en los precios de los productos que va echando en el carro. Sabe cuáles son los que más le gustan y no se detiene a comparar sus atributos con otros de la misma categoría. Paradójicamente, su carrito no suele ser mucho más caro que el de aquel que se detiene a examinar los artículos, porque tampoco es un marquista.

3. El que se informa. Suso podría servirnos como el perfecto ejemplo de consumidor que se informa. Tiene sus artículos de confianza y sus marcas de cabecera, sí, pero no da puntada sin hilo. Es un enamorado de algunas marcas tecnológicas como Apple, pero nunca adquiere un producto de esta compañía sin antes haber leído sobre el mismo, comparado sus prestaciones con los de otras marcas y reflexionado sobre la utilidad que le va a dar.

4. El ahorrador. Es la antítesis del marquista. Solo compra productos rebajados, con descuento o que estén dentro de alguna promoción. María, por ejemplo, siempre se lanza a por las ofertas. No le importa la marca ni tampoco se fija en si ya ha probado el producto, tan solo se deja seducir por el precio.

5. El que discrimina. Es aquel que no compra un determinado producto porque sea caro o barato, o porque sea de una determinada firma. Se informa, como lo hace Suso, intenta que su compra no sea muy cara, como lo hace María, pero siempre con cabeza. Si tiene que gastar un poco más en un artículo determinado no le importa, siempre que cumpla con sus expectativas. Lo que él busca es una buena relación calidad/precio.

6. El cazador de gangas. María Jesús podría definirse como una compradora de ofertas especiales. Ella es ama de casa y cuando sale a hacer sus compras sabe perfectamente dónde están los mejores descuentos en sus artículos de confianza. Se pasea por sus tiendas de siempre a la caza de los precios más bajos por buenos productos y consigue ahorrarse unos euros, una costumbre que puede seguir practicando porque dispone de tiempo.

3. Hacia el consumidor inteligente

Se enmarquen en una categoría, en otra o compartan características de varias de ellas, el punto en común que tienen los consumidores es que pueden llegar a ser compradores inteligentes. Pero llegar a esta meta no es un camino fácil. El primer obstáculo que ya hemos mencionado y que más trabas nos ha puesto ha sido nuestra gran desconfianza ante las compras.

¿De dónde nace ese escepticismo? Seguro que todos conocemos a alguien a quien le han colocado una enciclopedia por tomos con la excusa de que le regalaban un juego de cuchillos, ¿verdad? Al tratar el tema de los recelos de los consumidores y el cambio que han experimentado ante este tipo de artimañas, se nos viene a la cabeza un cortometraje de Mateo Gil titulado *Allanamiento de morada*. Con este trabajo, Gil pretendía denunciar las maniobras de las que se valían algunos vendedores puerta a puerta para engañar a futuras compradoras. Pepón Nieto y Eduardo Noriega (los protagonistas del corto) son dos representantes de una compañía que vende enciclopedias a domicilio y, como cobran por comisión, idean una estrategia que pocas veces falla: ir a por la víctima más débil y enredarla jugando con sus emociones para que firme el contrato de compra.

Por desgracia, y como vimos en el capítulo de quejas y reclamaciones, no necesitamos el cine para enumerar casos en los que se ha engañado al comprador para que adquiera un producto que no le hacía falta. Tanto en espacios físicos como en la red, la desconfianza del usuario es una constante que en ocasiones ha supuesto un bache para el avance de las compañías low cost.

El origen de ese temor a las nuevas fórmulas de consumo se comprueba en internet. La red ha tardado en hacerse un hueco como plataforma comercial porque poder añadir al carro cualquier producto con tan solo un clic de ratón entraña muchos riesgos, sobre todo para el bolsillo.

En el espacio virtual no se pueden utilizar más sentidos que el de la vista ni negociar cara a cara con el vendedor, por lo que el único arma del comprador es la información que ofrece la red. Este tipo de consumidor lee con atención las características del producto que va a adquirir, compara su precio con el de otro de la misma clase e, incluso, en algunas ocasiones llega a plantear sus dudas en foros especializados.

Lejos de animarle a que pierda esa desconfianza, el mejor consejo que podemos darle es que la aproveche. A lo largo del libro hemos hecho un uso constante de la red para encontrar buenas ofertas. Hemos comprado bonos descuento para ir a restaurantes, hemos disfrutado de sesiones de masaje y hemos adquirido billetes de avión baratos. Nos hemos ahorrado algunos euros en la factura telefónica y hemos hecho transferencias bancarias sin comisiones. Cualquier información que se le pase por la cabeza seguramente se encontrará delante de sus ojos, en su pantalla de ordenador. Con todo este material en nuestras manos es imposible no considerar un nuevo tipo de consumidor, el consumidor virtual, un auténtico depredador de la información.

La creciente confianza en las compras por la red ha sido el punto perfecto de despegue para las compañías low cost. Uno de los principales pilares de estas empresas es el uso de internet para ahorrar costes, y si el consumidor no hubiera perdido ese miedo a la red, todas ellas habrían estado abocadas al fracaso.

Con el paso del tiempo, el consumidor ha llegado a reconocer en el bajo coste uno de sus reclamos: servicios y productos desnudos de atributos con precios que cumplen con esa relación equitativa entre la calidad y el precio que siempre hemos buscado.

Hemos aprendido que hay productos que son susceptibles de ser reducidos a su mínima esencia para poder venderse más baratos y otros que no pueden bajar de precio. No nos importa pagar un precio elevado por determinadas marcas que consideramos indispensables para nuestra forma de vida. Cada cual tiene su propio criterio. ¿Acaso se imaginaba hace unos años que llegaría una época en la que las víctimas de la moda y de las firmas lucirían camisetas de H&M con unos vaqueros Dolce & Gabbana? Pues en la actualidad este comportamiento está cada vez más extendido.

La mayoría de nosotros nos gastamos ahora menos dinero en productos como la pasta, el arroz o el detergente porque hemos comprobado que esos artículos de marca blanca son igual de buenos que los de firma. Nos hemos acostumbrado a viajar en compañías low cost que venden un servicio básico y más barato. Miramos con lupa las facturas que nos llegan a casa, comprobamos que lo que nos dan vale lo que nos dicen e intentamos aprovecharnos de las ofertas que nos brinda el mercado. Con estos pequeños «esfuerzos» que se han convertido en costumbre, conseguimos disponer de más efectivo para nuestros caprichos.

Las compañías de bajo coste no solo han conseguido que nos demos cuenta de que hay productos que tenían un precio inflado o que llevaban consigo atributos que, en realidad, no necesitábamos, sino que también nos han permitido acceder a servicios de los que hace unos años únicamente podían disfrutar las clases más adineradas: spas, restaurantes japoneses, viajes, etcétera.

Queremos vivir nuevas experiencias y sensaciones a las que antes no teníamos acceso por cuestiones monetarias.

El consumidor inteligente

Tras este paseo por nuestra evolución como consumidores podemos concluir y decir alto y claro que siempre hemos sido inteligentes. Hemos conseguido grandes avances en nuestro trasiego por el mercado pero ahora, más que nunca, la pelota está en nuestro tejado. La cantidad de contenidos a los que tenemos acceso y la forma en que podemos hacer uso de ellos es tan amplia y variada que es difícil dejarse engatusar por las falsas low cost. Hemos destripado muchas fórmulas comerciales para averiguar dónde está la trampa, hemos desbrozado ofertas, descuentos y promociones para encontrar el truco, nos hemos acostumbrado a comprar por internet a precios más bajos y nos hemos convencido de que sin nosotros no hay juego especulativo.

Esperamos que con lo que usted ya sabía y con lo que ha podido descubrir en estas páginas los entresijos del low cost le resulten más claros. Confiamos en que se haya dado cuenta de que ahora los consumidores estamos mejor formados y que ya no caemos en los reclamos publicitarios con tanta facilidad. Nos hemos convertido en un comprador más exigente.

Somos los «jefes», como nos denomina Mercadona, «no somos tontos», como asegura Media Markt, y gastamos más en lo que queremos porque «nosotros lo valemos», como defiende L'Oréal.

Nunca hemos sido tontos, pero ahora, además, estamos más informados. Aprovechémoslo.

GUÍA PRÁCTICA: ¿Es un consumidor inteligente?

- **Infórmese**. Antes de realizar cualquier compra, invierta unos minutos de su tiempo en conocer lo que va a adquirir. Más vale prevenir que curar.
- **Sea exigente**. Compre fijándose en los precios, pero no permita que le den gato por liebre por el hecho de pagar menos.
- **Muéstrese**. Si se anda con ojo, sabrá diferenciar una buena oferta de una oferta trampa e incluso una estafa.
- **Tenga claro lo que compra**. Cualquier oferta conlleva un precio adicional. Conocer el precio anterior de lo que compra con descuento o no dejarse encandilar por los grandes reclamos publicitarios puede ser un buen comienzo.
- **Controle los impulsos**. Que no te deslumbren todas las promociones; planifique lo que necesita antes de caer en la tentación de llenar su cesta con ofertas y descuentos de artículos que quizá nunca llegue a utilizar.

Agradecimientos

Nuestras más sinceras gracias a Expansión por darnos la oportunidad de hacer realidad un blog distinto y, esperamos, divertido y didáctico. A Manolo del Pozo porque siempre confió en nosotras, a Miquel Roig por animarnos, a Sheila por ayudarnos a poner nombre a la criatura: *Vida Low Cost*, a nuestros compañeros por ser tan buenos compañeros, a María Jesús, Luis M., Alberto, Luis, Victoria, José y Beatriz por aguantarnos mientras dábamos forma al libro; a Suso, Yosu, Sara, Luli, Michela, Bea, Tamara, Cristina, Héctor, Bianca, Lucía, María, Ire, Chus, Charly, Tere, Laura, en fin, a todos nuestros amigos que siempre que nos ven nos preguntan por el libro.

Y cómo no, a todas aquellas personas que nos han facilitado un poco la labor. A Fernando Olivares Delgado, doctor y profesor titular de Comunicación Global e Identidad Empresarial de la Facultad de Económicas y Empresariales de la Universidad de Alicante; a Maini Spenger, presidente y cofundador de MásMóvil; a María Sanz, responsable de prensa de Vente Privée; a Fernando Pasamón, socio responsable de consultoría de estrategia en industria de productos y servicios de Deloitte y a Mar Areosa, directora de estrategia comercial y de marketing de la industria de consumo y distribución de la misma empresa; a Javier Vello, socio responsable de *retail* y consumo de

PriceWaterhouseCooper; a Ícaro Moyano, responsable de comunicación de BuyVip; a Pablo Amate y Katharina Rinnerthaler, antiguo y nueva responsable de comunicación de Groupon y a Eva Concejal López, jefa de servicios del Centro de Documentación Turística de España.

No podemos olvidar a todos esos autores que, a través de sus trabajos, han despertado en nosotras muchas de las ideas que plasmamos en nuestro libro. A Carles Torrecilla y Jordi Basté, padres de ¿En efectivo o con tarjeta?; a Bruno Pujol Bengoechea, autor de *Mucho más que una estrategia de precios. Bienvenidos a la sociedad low cost*; a David R. Bell, profesor de marketing de Wharton y autor de múltiples artículos sobre las ventas en la red.

A todos, muchas gracias.

El papel utilizado para la impresión de este libro
ha sido fabricado a partir de madera
procedente de bosques y plantaciones
gestionados con los más altos estándares ambientales,
garantizando una explotación de los recursos
sostenible con el medio ambiente
y beneficiosa para las personas.
Por este motivo, Greenpeace acredita que
este libro cumple los requisitos ambientales y sociales
necesarios para ser considerado
un libro «amigo de los bosques».
El proyecto «Libros amigos de los bosques» promueve
la conservación y el uso sostenible de los bosques,
en especial de los Bosques Primarios,
los últimos bosques vírgenes del planeta.